« Tout ce que vous possédez, un jour sera donné ;
Donnez donc maintenant, afin que la saison du don
   soit la vôtre
et non celle de vos héritiers. »

Khalil Gibran

Du même auteur
chez Flammarion Québec

GSP : Le sens du combat
Georges St-Pierre et Justin Kingsley
Flammarion Québec, 2013

LE LIVRE DU DON

Catalogage avant publication de Bibliothèque et Archives nationales du Québec et Bibliothèque et Archives Canada
Kingsley, Justin
Le livre du don : récits et visages
ISBN 978-2-89077-806-1
1. Générosité. 2. Entretiens. I. Titre.
BJ1533.G4K56 2017   179'.9   C2017-941289-2

Couverture
Conception graphique : Marie-Hélène Trottier, Jump&Love

Intérieur
Mise en pages : Michel Fleury

© 2017, Flammarion Québec
Tous droits réservés
ISBN 978-2-89077-806-1
Dépôt légal : 4e trimestre 2017

www.flammarion.qc.ca

Imprimé au Canada sur papier Rolland, contenant 100% de fibres postconsommation, fabriqué à partir d'énergie biogaz et certifié FSC®, ÉCOLOGO, Procédé sans chlore et Garant des forêts intactes.

Justin Kingsley

LE LIVRE DU DON
Récits et visages

Flammarion
Québec

Pour maman et papa

Introduction

Cette année, je n'ai rien donné...

La veille du jour de l'An, c'est une tradition, je promène ma souris et clique sur deux ou trois sites d'organismes de charité qui me tiennent à cœur. Je leur donne de l'argent, puis je me couche, allégé d'environ cinq pour cent de mon revenu annuel. Ça finit bien l'année. Je commence toujours par un don à la fondation de ma tante Ginette. Avant qu'un anévrisme ne l'emporte, à cinquante-trois ans, elle s'occupait des enfants atteints de spina-bifida au Centre hospitalier pour enfants de l'est de l'Ontario, à Ottawa. Pour appuyer le labo qui porte maintenant son nom – Potvin –, j'allonge une certaine somme. Je suis incapable de manipuler un stéthoscope ou un cathéter, et heureusement, mais ce don me permet de garder le flambeau allumé au nom de ma « matante ».

Le clic suivant me conduit chez Médecins sans frontières. Ils portent dans leurs sacoches une bravoure et un altruisme que je ne comprendrai jamais complètement. Je vide – plutôt vidais – mon portefeuille pour cette gang de missionnaires intrépides. Pour le reste, soit toute ma petite monnaie, je choisis l'organisation ou la fondation qui me touche le plus après trois ou quatre autres clics. C'est ce qu'on appelle le « don du catholique », parfait pour étouffer la culpabilité. Homme blanc, né au Canada, je suis le gagnant du gros lot *Homo sapiens*. C'est ma façon de célébrer la chance d'être né du bon bord du monde.

Quelle ironie, en cette année que je consacre à l'écriture d'un livre sur le don, d'avoir justement oublié... de donner. Mon malaise m'amène à m'interroger : « Pourquoi moi ? Qui suis-je pour entreprendre un tel projet ? »

Je me souviens que ma femme Lynda, en voie de devenir basketteuse professionnelle, avait écrit sur ses chaussures à l'aide d'un marqueur : *Why not me ?* Elle est irlandaise, voyez-vous, et possède le caractère qui va avec ses origines. (Tapez Bluebell dans votre moteur de recherche et vous naviguerez dans son vieux quartier.) En effet, *why not me?* Ou plutôt, comme je me le répète souvent, *why me?* Un Franco-Ontarien mal engueulé. *Why me?* Mes dents de devant parlent français à la maison, avec pôpa et môman, mais en arrière il y a quelque chose qui cloche. Une gueule qui parle dans tous les sens, français et anglais en même temps.

Parce que c'est vrai, je me demande très fort depuis quelque temps : pourquoi cette insécurité ?

Pour m'aérer l'esprit, rien de tel que d'aller marcher. J'en ai parcouru, des kilomètres, à réfléchir au sens à donner à ce livre. Quand je me balade avec Thelonious ou Coltrane, la musique intense fait en sorte que les idées surgissent et se bousculent dans ma tête. Ce n'est pourtant pas très compliqué : il suffit de commencer. Et, par la suite, de livrer les récits de mes interlocuteurs avec toute l'authenticité possible afin de dégager leur vrai visage et de faire partager ce qu'ils ont d'unique.

Mon but est simple : vous faire connaître vingt-six hommes et femmes qui ont en commun de donner, mais qui ont suivi des parcours singuliers, des chemins parfois surprenants ou déroutants. Après avoir interviewé une centaine de personnes, j'ai choisi de rapporter les meilleures histoires, de vous présenter des gens qui ont du «vécu». Je m'engage dans cette aventure pour découvrir quelle place occupe le don dans le monde actuel et à quel point il influence nos vies. L'objectif ultime est de le présenter sous divers angles. Quand on s'embarque dans une entreprise pareille, on avance souvent en tâtant ses émotions et en suivant son intuition. C'est dans cet esprit que j'ai réuni le récit d'un soldat, l'histoire d'une robe de mariée, un peu de cul et même le témoignage d'un ancien vendeur d'héroïne.

Comment j'ai attaqué cette idée ? L'image que j'aimerais créer, c'est celle d'un homme armé d'une machette, un explorateur au pied d'une montagne à la porte verte envahie par les vignes, sans repères ni carte ni boussole. Il doit défricher lui-même son chemin pour arriver à une destination qui demeure inconnue. C'est une autre façon de dire qu'il ne sait pas où il va, mais qu'il y va quand même.

Mes idées sont venues de partout et ont été inspirées par le quotidien et le hasard : le don d'argent, de vie ou de mort, le don qui rend amer, le don de celui qui n'a pas du tout compris, de celui qui n'a rien et qui donne tout, le don de ceux qui possèdent tout et qui ne partagent finalement rien...

Comme dans un road movie, des zigzags et toutes sortes d'imprévus sont venus modifier la trajectoire de l'ouvrage. Certaines personnes mériteraient plus d'une ligne, mais resteront sur leur faim : j'ai très peu à vous offrir au sujet des fondations et des organismes de bienfaisance. D'autres se raconteront sur plusieurs pages – il s'agit d'un feeling... Il m'arrivera de provoquer, je vous laisse la surprise et je ne vous en dis pas davantage, car je souhaite vous faire vivre ces rencontres. Mon objectif, c'est que vous échappiez à votre quotidien quelques instants pour découvrir ces gens et leurs histoires.

Quelle forme le don prend-il dans notre monde ? Évolue-t-il, varie-t-il d'une personne à l'autre ? J'ai décidé d'aller voir l'inspirante sœur Louise et de partir de là.

Et puis... *Why not me ?*
(Merci Lynda.)

Sœur Louise,
le don d'aimer

C'est mon amie Nadia qui m'a recommandé de la rencontrer. En route pour
Ottawa, où nous allions travailler, nous
prenions le temps de jaser des petites
choses de la vie, des enfants, des clients
et des projets et, bien sûr, de mon livre
sur le don. Comme je le faisais depuis
déjà quelques semaines, je sonde mon
entourage avec ces quelques mots d'introduction : « Que penses-tu du don ? »
Cela allait devenir mon refrain pour
les trois saisons suivantes. Du coin de
l'œil, j'ai vu sa mâchoire en réflexion et
son front plissé. Il ne lui a fallu que
quelques instants avant de me lancer,

très enthousiaste: «Il faut que tu rencontres sœur Louise!»

Les bornes suivantes ont été franchies tandis que Nadia me parlait de son enfance. Grâce à l'éducation reçue à la Villa Sainte-Marcelline, la petite fille qu'elle était a été transformée. C'est pour cette raison qu'elle a tenu à ce que sa propre fille prenne le même chemin tous les matins. Pendant que je tape ces mots, elle y est, en troisième année. «Ma bambine se souviendra toujours de sa première journée», dit Nadia. Une des grandes de sixième année l'a prise par la main en promettant de bien s'en occuper. C'est ainsi que débute l'année scolaire chez les Marcellines. Le rêve de chacune des élèves est d'atteindre ce jour où elle tendra la main vers le bas pour accompagner l'autre tout au long de cette étape.

Un (kilo)mètre à la fois, Nadia m'explique comment sœur Louise, pendant plus de cinquante ans d'enseignement au Québec, est devenue une légende dans le milieu scolaire et comment elle réussit à toucher les gens. Elle a assisté et contribué au développement du système d'éducation. Sœur Louise est née en Italie l'année où Benito Mussolini devenait ami de l'autre fasciste. Elle est venue en 1961 diriger la Villa Sainte-Marcelline, à Westmount, et a fondé, quelques années plus tard, le collège Sainte-Marcelline.

C'est une école privée qui était au départ consacrée à l'éducation des filles. Même si l'éducation n'y est pas gratuite, l'établissement ouvre ses portes à certains enfants dont les parents n'ont pas les moyens de payer. Mon interlocutrice m'explique que la philosophie de sœur Louise ressemble aux écrits dans la Bible. Les enfants qui réclament le plus sont généralement ceux qui possèdent déjà le plus grand nombre de toutous, pour utiliser une image. À l'inverse, ceux qui n'ont rien ne demandent rien.

Comme je suis papa d'un petit garçon de presque trois ans, cela me parle. Sans que je perde de vue la route, Nadia, soudainement, a toute mon attention.

— On n'en donne pas plus à ceux qui n'ont rien ?

— Eh bien, non.

Comment est-ce possible ? Je décide sur l'autoroute que c'est avec sœur Louise que tout doit commencer. Je n'entendrai aucune personne avant elle. Pas un mot n'apparaîtra à l'écran de mon ordi avant que sœur Louise ne m'ait donné les siens.

Ce livre doit connaître le meilleur départ. Tout au long des interviews, j'espère que le don prendra plusieurs formes, que certains témoignages feront rire ou pleurer, et je sais déjà que d'autres surprendront ou provoqueront des réactions. Mais cette première rencontre doit m'inspirer.

Le don dans sa forme la plus pure, la plus belle et la plus simple. Comme si accomplir ce geste était la première fonction de l'humain. Une personne du bon Dieu pourra me décrire cette forme de don.

Quelques semaines plus tard, je suis en route pour la Villa Sainte-Marcelline. Le chauffeur de taxi négociera plusieurs courbes dans sa montée bordée de maisons grandioses avant de me laisser devant la porte du bâtiment.

Nadia est déjà arrivée. Les lieux nous transportent, elle, vers ses souvenirs d'enfance, et moi, vers la découverte d'un monde dont j'ignore tout : une école privée.

On nous invite dans la petite salle de rencontre où se trouvent un canapé, une table basse et un fauteuil. Par les fenêtres, les cris d'enfants y pénètrent. Au mur, une devise attire mon attention : *C'est difficile donc c'est beau.*

Quelques minutes s'écoulent en phrases courtoises avant que je tourne la clé du moteur (mon magnéto-phone) et que je démarre l'entretien. J'explique à cette grande dame mes intentions avec cet ouvrage. Je lui avoue mes doutes et que mon seul souci est de mieux comprendre la place du don dans notre vie quoti-dienne... et, « pardon monsieur », me coupant la parole, levant doucement l'index, tout gentiment, elle dit :

— Cela me rejoint.

Elle sait déjà où je veux aller. Elle y était bien avant moi, d'ailleurs. Voilà une coupure qui ne fera pas de plaie. Et la voilà lancée :

— Le but de l'éducation est de créer des forces à tra-vers les études. Une force pour s'élever par la lecture, pour nous aider à comprendre la réalité, dit-elle. Tu réussiras mieux si tu as lu les classiques. Les livres qui ont traversé le temps présentent les mystères de la vie, de la croissance... Tu comprends tout, si on t'a enseigné avec cette perspective-là. Autrement, l'étudiant devenu adulte se retrouve sans armes face à la vie.

— C'est joliment dit, mais pourriez-vous me parler du don.

— Je vais te parler du don de temps que l'on prend pour résoudre les problèmes de société, dit-elle. Quatre-vingt-dix pour cent des problèmes qui nous énervent ou même qui nous rendent anxieux n'existent pas.

L'anxiété ? Voit-elle à travers moi ? J'espère qu'elle ne lit pas dans mes pensées et qu'elle ne voit pas que j'aurais aimé me rouler un joint avant de venir la rencontrer. Heureusement, je suis inspiré et lui pose la meilleure question :

— Pourquoi ?

— Parce qu'on est tellement pris par l'argent qu'on doit gagner. Et j'utilise le verbe *devoir* parce qu'on a l'obligation de gagner sa vie. Notre société est ainsi faite qu'au lieu d'aller directement vers notre but nous en sommes continuellement détournés par un virage à droite, un détour par la gauche.

Elle-même vient de s'aligner sur ce qu'elle veut me transmettre.

— C'est la gratuité du temps. Tu le donnes sans rien attendre en retour. Même pas de la personne à qui tu as donné.

Une sortie de route, des mains qui chantent et qui nous emmènent momentanément vers la politique, vers les médecins et leur ministre Barrette, les personnes âgées abandonnées dans leur résidence... Ma chère sœur s'égare du chemin qui mène au don. L'entretien avance, mais s'éloigne du sujet. Un regard vers le magnétophone qui, lui, roule. Mon métier est de mettre mon interlocuteur à l'aise. Je réussirai bien à la ramener vers les enfants à qui il faut donner. Souvent, la confiance s'établit dans l'écoute silencieuse de l'intervieweur. Mais rien n'imite aussi bien le silence...

— On entend beaucoup parler du don d'organes, qui est un don fantastique, mais qui ne concerne que les personnes mortes. On devrait penser aux personnes vivantes.

— Est-ce que votre vie a été un don à Dieu, ma sœur ? Avez-vous donné votre vie ?

— Je ne pense pas avoir donné ma vie à une cause. Je suis persuadée que j'ai suivi ma vocation et que ç'a été ma plus grande joie de pouvoir le faire en côtoyant des parents – qui n'avaient rien à voir avec la religion – et de découvrir quelque chose d'aussi infini que l'idée que je me faisais de Dieu. C'était tout ce qui est beau à l'infini : la bonté infinie, la miséricorde infinie, l'amour infini... C'est ainsi que je le perçois encore aujourd'hui. Appréhender la vie de cette façon était dans ma nature. Ma foi était complètement détachée de la doctrine. Ma vocation était une grâce que je devais découvrir.

» C'est ce que j'ai expliqué à mes filles pendant les cinquante ans où j'ai enseigné. Beaucoup reviennent me voir. J'en ai sûrement blessé, mais c'est dans la nature des choses même quand ce n'est pas dans l'intention. L'idée d'avoir donné ma vie ne me vient pas à l'esprit, du tout. Chacun donne SA vie à une cause qui est sa propre vie.

Penchée vers moi, elle souligne « sa » de ses yeux, de sa voix, de son doigt.

— La première cause, c'est la vie. Tu n'es pas d'accord?

Elle veut m'interpeller, mais je ne réponds pas et poursuis plutôt avec une autre question :

— Tout de même, vous vous êtes consacrée à la vie des autres. Non?

— La vie des autres seulement parce que je suivais ma propre vie. *Aime-toi et ton prochain t'aimera.* Si on ne s'aime pas de la bonne manière, d'abord, on ne grandit pas, et ça, c'est un problème de société énorrrrrrme (sa tête et ses yeux rrroulent simultanément). Ne pas progresser, donc ne pas utiliser tous les moyens que la nature donne pour ce faire. Le cerveau reste bloqué à l'adolescence et ce sont les émotions qui dirigent le reste de notre vie.

21

Dans un discours que j'ai prononcé à quelques reprises au sujet de l'humilité, moi aussi je parle de l'amour de soi et de sa place dans le monde des idées. L'insécurité ronge ceux qui n'aiment pas leur créativité ni leurs propres réalisations. Ils ne savent pas tirer avantage de ce qui est mauvais. Parce qu'une mauvaise pensée c'est du fumier qui peut faire pousser chez l'autre ce que nous appelons la grande idée. Donc aimez-vous et aimez vos piètres idées. Laissez-les vous emporter, car, de cette façon, une idée peut devenir une alliée; un pouce, replié sous les autres doigts, forme un poing. Pow!

En écoutant l'enregistrement et en consultant mes notes, je constate qu'ici je m'éloigne du sujet. Revoici le fil des propos de sœur Louise.

— Même dans le désir de donner, on est limité. Je ne peux pas donner tout ce que je veux malgré les besoins auxquels je suis confrontée. Je dois être assez généreuse pour permettre à d'autres d'intervenir là où je ne peux être utile. La pédagogie pratiquée à l'école s'appelle la pédagogie réaliste. Ça veut dire que la réalité doit être la norme. Être heureux signifie que tu es un être humain qui accepte la vie comme elle se présente avec ses moments de joie ou de souffrance, ses plaisirs et ses difficultés.

J'ai le sentiment que nous nous rapprochons, après quelques questions secondaires et plus d'une heure de ses belles réflexions, de ma question initiale sur la distinction entre les besoins des enfants de familles bien nanties et ceux des enfants issus de milieux modestes.

— Sœur Louise, les besoins changent-ils d'un enfant à l'autre?

— C'est une question très importante. Parce que, dans notre approche pédagogique, nous voulons des classes composées d'éléments hétérogènes. Une société qui aurait l'intention de mettre en place le fascisme souhaiterait plutôt des classes homogènes. Des classes homogènes, cela sous-entend faire une sélection: toi oui, toi non.

Voilà qui est intéressant.

— Apprendre, lire, compter, mesurer sous la direction d'adultes qui protègent, mais surtout qui ne surprotègent pas, est l'équilibre qui a toujours été ma grande préoccupation de pédagogue. Jusqu'où je dois l'aider, répondre à ses besoins primaires: « J'ai faim, j'ai soif, je veux être lavé. » Même si on s'en tenait à ses besoins naturels, l'enfant continuerait de grandir. À partir du moment où la civilisation de consommation crée des besoins artificiels pour soutenir la santé économique, nos sociétés risquent de former des Ken et des Barbie. Les besoins inventés sont désastreux parce qu'ils nous font oublier les besoins naturels.

Avec ses yeux pointés vers le mur, vers la croix, ses mots virevoltent et reviennent vers moi.

— Je vais te raconter une petite histoire dont je me souviendrai le reste de ma vie. Dans ma classe de maternelle, il y avait une cage avec un couple d'oiseaux. Un jour, Coquette s'est brisé une aile. Elle ne pouvait plus monter sur le perchoir et boire. Kiki a compris qu'il devait l'aider. Pendant trois mois, il s'est frotté contre son aile blessée et lui a apporté sa nourriture et des jouets. Les animaux ont un instinct pour ces choses. Le jour où Coquette a pu de nouveau voler librement du plancher au perchoir, les enfants ont cru que l'amour de Kiki avait guéri l'oiseau.

Alors que l'entretien se déroule bien et que nous avançons, sœur Louise me désarçonne avec son regard perçant et me dit :

— As-tu d'autres questions ?

Oui, j'en suis rempli. Comme intervieweur, je cherche toujours à combler le dernier des vides. La fin arrive à grands pas, alors je lui demande son avis :

— Je souhaite devenir un meilleur papa.

Me servant de mon téléphone, je lui montre une photo de Léo. Jamais un téléphone n'aura été aimé de cette façon. Ça se lit dans ses yeux caressants : comme il est beau. Elle prend mon portable comme si c'était un nouveau-né.

— Que dois-je faire pour être le papa que mon fils mérite ?

— Être présent. Voilà. Dans la mesure du possible, éloignez les multiples besoins non essentiels.

— Le 7 avril, jour de sa naissance, je me suis dit, sœur Louise, qu'il était né parfait et que le garder dans cet état aussi longtemps que possible était ma mission. Mais je ne sais rien de plus, rien de moins. Ai-je tort ?

— L'art d'éduquer est un don naturel, fondé sur le bon sens et le respect. Tu peux être analphabète et être un bon éducateur parce que tu sais où est le bien et où est le mal pour ton enfant. Veiller à ce que la plante croisse et s'épanouisse. Pour répondre à la question que pose ton livre, cela devient plus difficile de donner parce que cela devient plus difficile de vivre. La notion de « bien » et de « mal » devient confuse avec le temps. Et le don est un acte gratuit qui fait plaisir à celui qui donne autant qu'à celui qui reçoit. En étant auprès d'un enfant malade ou en difficulté, je n'ai jamais pensé que je faisais un don. C'est dans notre ADN, mais tu dois aussi alimenter ce désir d'entraide. J'essaie d'apprendre aux enfants que c'est en surmontant une difficulté qu'ils grandissent. Trop souvent, ils préfèrent la facilité alors que c'est l'obstacle qui est stimulant.

— Finalement, sœur Louise, quel est le don le plus important pour un enfant, riche ou pauvre ?

— Je n'ose presque pas te donner la réponse tellement elle est banale. Aussi simple que Snoopy qui regarde les étoiles et dit qu'elles sont belles.

Elle rit et dit tout simplement :

— C'est l'amour. Il n'y a rien d'autre. Depuis la nuit des temps, c'est ça et rien ne pourra changer ça. L'amour.

Solange,
le don de la gratitude

J'ai tout fait pour éviter d'aller à ce gala, mais j'ai échoué. J'ai proposé d'acheter des billets, pensant pouvoir les refiler à quelqu'un d'autre, mais ils m'étaient offerts. Mon nom était sur la liste des invités. J'ai ensuite inventé un prétexte lié à un conflit d'horaire, avant de réaliser que je m'en étais déjà servi l'année précédente. Au moins, j'ai trouvé une jolie porte de sortie pour Lynda, qui devait à tout prix demeurer à la maison pour coucher notre petit garçon.

Pour ce qui est de moi, j'ai jeté l'éponge. Je vais aller à cette soirée et je partirai quand bon me semblera.

« Tabarnak du saint ciboire », me voici au Ritz-Carlton, à Montréal, assis à la table d'honneur. D'un côté, il y a une grande joueuse de soccer et, de l'autre, la femme d'un réputé docteur. Bel entourage de mesdames et de messieurs, d'une pléiade de mandarins, d'au moins un dignitaire et d'une ancienne réfugiée devenue célèbre que j'aperçois de loin. Il s'agit d'un dîner-bénéfice pour l'UNICEF, organisme que j'aime malgré ses verrues apparentes. L'événement est organisé par une amie à moi qui s'appelle Bita.

Bita ne possède que des robes de gala, j'en suis certain. Son adorable mari Paolo, aux cheveux peignés à la Dino, ne sort de chez lui que vêtu d'un smoking. Nous les avons rencontrés, ma bien-aimée et moi, il y a plusieurs années à un concert-bénéfice de l'Orchestre symphonique de Montréal.

Mon smoking poussiéreux me serrait trop la taille, j'ai donc laissé pendre le cul et la queue de ma chemise et j'ai mis à mes pieds des espadrilles. Voilà pour l'innovation quand on est issu du domaine créatif. Tout peut être réinventé à sa guise. Même lorsqu'on fréquente la haute société, cela passe pour un concept novateur, revampé. Croyez-moi, vaut mieux ça que d'avouer qu'on est un peu rond.

D'habitude, je sais dire non à ces invitations, mais, avec Bita, je n'y arrive pas. Je les aime trop, elle et son Paolo.

Jetant un coup d'œil au programme, je réalise que la soirée sera longue. Pour commencer, les discours, avec un alignement de gens qui vont nous parler ou, plus précisément, nous lire une litanie de platitudes recyclées. Ensuite, il y aura le repas, puis rebelote, d'autres belles paroles. On ne sera pas relâchés avant d'avoir entendu un concert pour adeptes du classique et des punitions en prolongation.

Bita, notez-le, fait bien les choses. Elle est élégante comme une princesse à Monaco et son sourire m'enveloppe comme un gant. Elle lit son discours, mais avec beaucoup de sincérité. J'aimerais bien pouvoir faire le même compliment à ceux qui suivront à la tribune, mais il est évident qu'ils ont du chemin à parcourir pour nous convaincre de leur authenticité.

Les paroles qui me sont allées droit au cœur sont sorties de la bouche du garçon de table : « Un autre gin tonic, monsieur Kingsley ? » Oh, que oui ! Le suivant à s'adresser à nous va me fâcher. Difficile de comprendre pourquoi on lui confie un micro. Il crie sans ménagement pendant plusieurs minutes que l'objectif de la soirée est de nous inciter à donner. Quel personnage grossier !

« Il faut que ça fasse mal ! croasse-t-il de son perchoir. Il faut que ça fasse mal quand vous signez votre chèque. »

Mais non ! Il faudrait au contraire que cela fasse du bien de donner, que ce geste rende heureux.

La soirée se poursuit comme une descente de ski de bosses. Quand arrive le moment de l'encan pas très silencieux, je murmure que je vais acheter dix toutous à deux cent cinquante dollars chacun. C'est ma façon d'effacer, en quelque sorte, le fait que cette année je n'ai encore rien donné. (N'avais rien donné, pardon.)

Il ne faut surtout pas me dénoncer à Bita. Déjà qu'elle devait se douter de la supercherie de mon smoking dernier cri.

Mon dessert achevé, mon regard discret cherche la plus proche sortie, mais il tombe sur cette rescapée qui vient de nous parler de sa vie – ou de sa survie, plus exactement. Elle a échappé, avec sa famille, au génocide rwandais. Solange et ses cinq minutes sur scène ont déjà racheté la soirée. Elle est épatante, étonnante, ravissante, charmante, et elle se dirige vers moi.

— Vous faites quoi en ce moment ? me demande-t-elle en guise d'introduction.

— J'écris un livre sur le don. Je cherche à le comprendre de... sous toutes ses formes.

Nous bavardons simplement. Après quelques échanges des plus agréables, un artiste de renom monte sur scène. Je profite de cette pause musicale et lui dis que je vais me sauver. Nous nous promettons de reprendre contact, mais, je vais l'avouer, je ne voyais pas dans ce recueil un chapitre pour l'histoire de Solange. Son récit a déjà beaucoup voyagé : ancienne Miss Canada, ambassadrice de l'UNICEF, son périple est déjà connu et d'autres l'ont raconté. C'est un peu con, mais le travail de création, c'est faire des choix.

Quelques mois plus tard, Solange m'écrit :

« Comment se passe l'écriture ? As-tu envie d'un café ? »

« La rédaction avance bien et, oui, buvons un expresso à Ottawa ce vendredi. »

Dans ma petite tête, j'essaie d'imaginer la façon de mener l'entretien afin qu'il trouve sa pertinence et vienne se déposer dans ces pages, quand Solange me surprend avec une déclaration stupéfiante.

— Je pense que tu m'as aidée à donner un nouvel élan à ma vie, dit-elle.

— Mais comment est-ce même possible ? Nous nous sommes à peine parlé.

Contre vents et marées, pour ne pas dire machettes et mitraillettes, Solange a survécu au pire que cette terre a à proposer. Solange et sa famille ont échappé au génocide du Rwanda. Ils ont été dirigés vers Fredericton, là où aucun autre foncé ne les attendait. En quelques années, l'adolescente s'est transformée en Miss Canada, en ambassadrice de l'UNICEF et en maman de trois magnifiques petits enfants. Je la trouve belle de toutes les façons dont une femme peut être belle.

Alors qu'est-ce qu'un gagnant du gros lot *Homo sapiens* comme moi pourrait bien faire pour cette jeune femme au fabuleux destin ?

— Quand tu m'as parlé de ton livre et de l'acte de donner, j'ai été frappée par la coïncidence de notre rencontre. Je venais de créer une fondation à la mémoire de ma petite Naylah décédée à peine née. Une femme avait offert de m'aider dans mes démarches, et, après de brèves recherches, j'ai eu la déception de découvrir qu'il s'agissait d'une fraudeuse qui cherchait à m'exploiter. Je traversais une période difficile et je n'arrivais pas à comprendre comment une personne peut essayer d'abuser d'une autre, surtout en état de fragilité. Je souhaiterais que les gens se soucient davantage de leur voisin et de l'influence qu'ils peuvent avoir sur la vie des autres.

— Mais qu'est-ce que ça a à voir avec moi ?

— Ta façon simple d'aborder le don m'a décomplexée et m'a aidée à réévaluer mes objectifs. J'avais cinq millions d'idées devant moi et j'ai réalisé que je devais tout revoir : où est-ce que je donne et à qui ? Vers qui va mon amour et qu'est-ce que j'ai à offrir au reste de ce monde ? Notre conversation m'a poussée à réfléchir, et ma mission s'est clarifiée. Il y avait le chaos et le tourbillon dans mes pensées et je peux dire qu'il y a maintenant le calme. J'ai tout simplifié dans mes façons de faire. Puis, un matin, je me suis levée en me demandant où tu en étais rendu dans ton livre.

Dans un chapitre précédent, j'ai parlé des mauvaises idées qui sont du fumier pour les autres. En voici un exemple criant : Solange qui me dit avoir réussi à se réinventer grâce à une discussion anodine. Du verbiage transformé en grande idée.

Solange lance, en 2017, un organisme voué à l'avancement des filles âgées de treize à dix-huit ans, qui s'appelle Elevate International. Le programme qu'elle veut mettre sur pied aidera à financer des projets liés à l'éducation des jeunes femmes de ce monde. Cela se concrétisera par des événements, des tournées en région menées par Solange et d'autres ambassadeurs, l'accès à des mentors, des cours en ligne sur le leadership et des formations pour soutenir les jeunes femmes dans l'accomplissement de leurs rêves.

C'est réconfortant de voir comment quelques mots sortis de la bouche d'un homme un peu perdu peuvent trouver un écho dans la tête d'une autre personne à la recherche d'un sens à son existence. Surtout ce pyrèthre qui a choisi comme arme l'amour depuis qu'il est déraciné. Bien d'autres se seraient fanés avant aujourd'hui. Mais pas celui-là. Les défis se présentent à Solange comme des prétendants qui la séduisent et qu'elle finit par dompter.

Solange a accouché de triplets et la plus petite souffrait d'une maladie interne quasiment intraitable. Naylah est décédée à l'âge de dix heures, après avoir passé soixante-dix pour cent de sa vie en salle de chirurgie. C'est à elle que pense Solange quand la vie se durcit.

— Je ne souhaite pas vraiment en parler, lance-t-elle. Parler de ma fillette ne va pas la ramener, alors à quoi bon ? Après sa mort, j'ai vite réalisé l'importance de ne pas me fâcher contre la vie pour ce qui m'était arrivé. J'ai voulu que sa trop brève présence parmi nous soit perçue comme un cadeau. Dans ce monde, tout ce qui arrive de mauvais doit bien se terminer. Certes, j'ai vécu la laideur et la douleur, mais je sais qu'il peut en ressortir du bien. Le legs de Naylah, c'est ma façon d'avoir confiance dans le sort qui m'attend. Quand tu apprends que, tous les jours, trois mille femmes perdront un enfant, tu te solidarises avec chacune d'elles. Cette douleur, je la connais.

» Maintenant, je me demande si ce que je donne est conforme à mes valeurs et si je ne dois pas ajuster ma contribution ici-bas en fonction de mes habiletés. Ça et tout mon amour.

— Solange, ce monde ne semble que vouloir t'enlever ce que tu aimes. Pourquoi fais-tu encore cela, chercher des idées pour donner davantage ?

— C'est la seule façon de réagir. Si je reste immobile à regarder ce qu'on m'a retiré, je suis aussi bien de me cacher dans mon sous-sol et de renoncer. Mais cela n'a jamais été une option envisageable. Quand on s'est rencontrés, j'étais à la recherche d'un second souffle. Je t'avoue que je n'allais pas bien. Je portais un fardeau en moi, et pas seulement dans mon cœur. Notre conversation, le soir du gala, m'a secouée.

Le comique de la situation est que Solange a cherché et trouvé la consolation et que, maintenant, comme mère de famille occupée, elle n'a plus le temps pour rien.

— Alors, comment faire pour que les gens qui en ont les moyens se soucient un peu plus des autres ?

Solange me répond avec lucidité.

— Il faut peut-être leur raconter l'histoire de bons modèles à suivre et nous-mêmes servir d'exemples ? On ne peut pas se fâcher de voir des gens qui profitent de tout ce qui est beau dans la vie. On ne peut qu'essayer de les convaincre de s'impliquer dans ce qui se passe en dehors de leur monde privilégié. Tu ne changeras pas les gens en leur disant d'être plus généreux, il faut trouver une façon de les encourager à le devenir.

Elle me fait penser à cette maxime de Confucius : *Dis-moi et j'oublierai, montre-moi et je me souviendrai, implique-moi et je comprendrai.*

— Je ne veux pas rendre les gens honteux de leur aisance. Si la vie t'offre tout ce que tu veux, régale-toi. Mais souviens-toi, s'il te plaît, d'apprécier ce que tu possèdes et d'en partager un peu avec autrui. Si nous n'enseignons pas la gratitude, le combat est sans doute perdu.

Vous voulez un mot de la fin ? Le voici, et il n'y a que Solange pour parler ainsi : « Je veux offrir à ce monde tout l'amour auquel il a droit. »

Ah oui et, pour Bita, merci de l'invitation. Cette soirée inattendue a ajouté quelque chose à ma vie.

Au prochain gala ?

Daniel,
le don d'un cœur

Une de ses amies le décrit comme suit : « C'est un homme qui ne s'arrête jamais, qui s'intéresse à tout et qui est toujours souriant. »

Je vous présente Daniel, l'homme à qui on a donné un cœur neuf. Voici le récit de son « aventure », dans ses mots.

Nous sommes indissociables. Il ne peut pas se passer de moi et moi de lui. C'est comme ça quand on a un cœur transplanté. En l'acceptant, on s'impose la responsabilité de bien vivre, de respecter ce don d'organe comme un privilège. J'ai reçu ce nouveau cœur, il ne faut pas que j'en abuse. Sommeil, alimentation et exercice sont la clé pour le garder en bon état. Nous sommes liés tous les deux. Nous formons une équipe très soudée. Je lui parle. Je lui en dis des choses, mais, de son côté, il ne me transmet que ses pulsations. C'est un peu comme prier. Il ne me répond pas. Quand nous allons à vélo, je lui répète : j'espère que tu te sens bien. Nous trouvons mutuellement le moyen de synchroniser nos rythmes. Nous comptons faire un bon bout de chemin ensemble.

Ce fut la plus grande aventure de ma vie. Je me souviens des étapes marquantes à partir du moment où je suis tombé malade en Afrique. Lorsque Monique, mon épouse, et moi sommes rentrés d'Abidjan en France, je ne savais pas à quel point j'étais malade. Je ne pouvais pas sortir de l'hôpital. J'étais depuis deux mois au Centre hospitalier universitaire de Rennes, et, un matin, au beau milieu de mon petit-déjeuner, une infirmière survient dans ma chambre et me lance : « Arrêtez de manger ! Nous avons un cœur pour vous ! » Avec ces mots, l'espoir renaît. Il va se passer quelque chose de bien.

Après six heures sous le bistouri, le réveil est extraordinaire. Je suis en vie ! Je me sens bien. Je respire et, pour la première fois depuis des mois, je respire allègrement. Une grosse bouffée d'air, aaaaahhhhh, mes poumons fonctionnent. Cette joie si attendue est la plus intense qu'une poitrine peut ressentir. Je n'ai pas le souvenir d'avoir éprouvé de douleur et il ne reste qu'une cicatrice de cette journée-là. Par contre, alité, inactif pendant deux mois, j'ai perdu beaucoup de poids, mais je suis un patient cadavérique très souriant. Mon système immunitaire est à plat. On m'isole momentanément dans un aquarium de verre. Je dois vivre sans aucun contact avec les autres. Ceux qui entrent pour me nourrir et prendre soin de moi revêtent un scaphandre. Je ne peux pas lire, car les bouquins sont aussi pleins de microbes. Mes communications avec le monde extérieur se font par téléphone. Sinon, j'attends que le temps passe. Je perds la notion des heures qui s'écoulent. J'observe autant les gens venus me regarder qu'ils ne le font avec moi. À l'extérieur, tout avance sans moi. Le temps de guérir me donne le temps de songer à cette personne inconnue, homme ou femme d'une quarantaine d'années, qui a donné son cœur pour me sauver. Je pense continuellement à l'individu qui a perdu la vie et m'a redonné la mienne. « Vous avez un bon cœur », que le docteur m'a dit. C'était en l'an 2000.

Une fois sorti de mon aquarium, il a fallu un mois pour me remettre sur mes deux pieds. Je n'avais plus de masse musculaire. D'abord, il y a eu des marches autour du bâtiment, puis des promenades sur le chemin et enfin des balades en vélo, qui m'ont remis en forme. L'appétit est revenu et la vie a repris son cours. On mange bien avec le cœur sain d'une autre personne. Presque de tout, à condition que ce ne soit pas salé, sucré ou gras. Ce n'est pas dérangeant, j'utilise les épices et les ingrédients riches en éléments nutritifs comme la betterave rouge.

*Cette période en environnement contrôlé m'a fait appré-
cier le prix de la liberté. Ce qui compte maintenant : la
natation, le vélo et la marche, il y a aussi le kayak, le
canoë, la raquette et le ski de fond. Et puis il y a le cha-
cha-cha, les cours de danse espagnole pour moi et ma
señorita. J'avoue quelques actes de délinquance : même
si on m'interdit de pelleter la neige, ça m'arrive de temps
en temps. Monter à plus de trois mille mètres m'est
défendu, mais j'ai triché quand nous sommes allés à
Quito, en Équateur.*

*Nous voyageons trois mois par année. Le plus beau souve-
nir depuis ce nouveau cœur est sans doute la traversée des
parcs nationaux américains. Nous sommes partis du
Grand Canyon jusqu'à Las Vegas, au Nevada, et ensuite
l'Arizona, le Nouveau-Mexique, l'Utah et le Colorado.
Dans la nature et les parcs, nous avons longuement marché. Être seuls face à ces merveilles, prendre le temps de
les admirer, comme si elles nous appartenaient. Comment
la nature peut-elle être aussi belle ? Tu te sens petit devant
cette immensité. Mais c'est en la voyant se renouveler
chaque saison, se régénérer après un incendie ou une
catastrophe naturelle qu'on trouve l'inspiration pour se
projeter dans le futur. Moi, j'ai le bonheur et la chance de
pouvoir échafauder des plans pour de nouveaux loisirs,
des activités sportives, des voyages en amoureux, des
sorties en famille, de bons repas au restaurant entre amis.
Ah ! cette croisière aux Îles-de-la-Madeleine et ces trois
semaines en Corse sous un ciel sans nuages et dans une
eau méditerranéenne idéale pour la plongée sous-marine.*

Rien ne se compare aux paysages, aux couleurs et aux couchers de soleil à Porto. Tout cela depuis ce don incomparable que j'ai reçu.

« Tout est possible. Il suffit d'y croire et de le désirer ardemment. »

Puisque je me livre, voici encore quelques-unes des tricheries qui me font sourire: une bouchée ou deux d'agneau des prés-salés du Mont-Saint-Michel. Que ce soit en rôti, en gigot ou même en côtelette, l'agneau goûte le sel de la mer parce qu'il broute de l'herbe recouverte de la marée. Avec un bon rouge, un bordeaux comme je l'aime. Ça se mange avec des flageolets et des pommes de terre. Un péché véniel. Avec les fruits de mer, boire un muscadet bien équilibré et parfaitement fruité, rien là pour s'excuser. Un plat de moules-frites avec un petit peu de mayonnaise pour la trempette. Seulement de temps en temps...

On peut dire que je suis actif. J'ai beaucoup de mal à m'asseoir et à rester tranquille, sauf lorsque j'établis un contact avec des gens. La plupart préfèrent parler d'eux et moi, je préfère les entendre parler d'eux. À force de les écouter, je vis à travers eux et je m'enrichis de leurs expériences.

Aaaaahhhhh, tout est beau maintenant que je ne suis plus essoufflé.

Qu'est-ce qu'on attend pour pleinement jouir de la vie? Un nouveau cœur?

Sylvie,
le don ultime

Je crois que nous avons ici une belle histoire avec une triste fin. Ou est-ce une histoire triste avec une belle fin? Plus j'y pense, plus j'hésite. Un des sujets que je me devais d'explorer était le choix de fin de vie. Le suicide assisté doit être un des dons les plus précieux qu'une personne puisse offrir à une autre quand elle l'aime.

Jocelyne et Sylvie en sont un bel exemple.

Le débat sur cette question divise. Certains médecins ont le sentiment de renier leur serment d'Hippocrate en appliquant l'aide médicale à mourir.

Cela va à l'encontre de leurs valeurs personnelles. Pourtant, la Cour suprême du Canada en arrive à la conclusion qu'en matière d'euthanasie la décision revient à leurs patients.

Que faire lorsque la tête est saine, mais que le corps fait subir des souffrances sans fin à son propriétaire? Devant un diagnostic sombre, un individu libre qui sait qu'il ne lui reste plus qu'une vie dégradante peut-il décider de mettre un terme à ce supplice?

C'est à Sylvie que je voulais le demander, celle qui a donné à sa sœur Jocelyne le cadeau ultime: l'aide à la mort.

Saint-Louis-de-Gonzague, 1962-1978

Agenouillées et munies de torchons bien usés, Jocelyne et Sylvie sont à la recherche du dernier sou caché par maman. Un trésor est à trouver. La maison a été époussetée et astiquée, mais il reste une petite pièce de monnaie dissimulée. Elles savent toutes les deux que rien ne sert de se plaindre ou d'arrêter la corvée, elles doivent continuer à frotter jusqu'à la découverte du dernier sou.

Il n'y a plus une sacrée toile d'araignée dans toute la maison ni, surtout, cette odeur exécrable de la ferme. En rentrant, comme d'habitude, elles se sont déshabillées dans le garage avant de passer par le solarium, l'entre-deux des mondes imaginé par une mère pour qui se vêtir de propre est une obsession. Les reliquats des garde-robes des cousins et des cousines qu'elles portaient avaient été rapiécés et raccommodés par deux paires de petites mains qui s'assuraient aussi que tout ce qui pouvait être repassé l'était, des draps jusqu'aux sous-vêtements.

Dans le solarium, les tentacules visqueux des papiers tue-mouches pendent du plafond. Quelques mouvements bien calculés pour les éviter et elles pénètrent dans l'antre familial et s'affairent chacune à sa tâche.

— Ma sœur était la perfection même et moi, je devais être parfaite comme elle, dit Sylvie. Sauf que je n'y arrivais jamais. C'est comme si maman nous mettait en compétition, l'une contre l'autre. « Tu n'es pas comme ta sœur Jocelyne. Tu es le portrait de ma pauvre sœur. »

— Celle qu'elle n'avait jamais beaucoup aimée ? lui demandé-je.

— Moi, je me disais que ses insultes ne me touchaient pas, se souvient Sylvie. Avec mon tempérament positif, je me disais que je ne méritais pas ça et qu'elle ne réussirait pas à m'humilier.

La famille habite au fin fond de la campagne, sauf que la mère ne doit pas s'en être rendu compte. Seul son corps semble l'avoir suivie de la grande ville jusqu'à ce coin perdu. Elle n'arrivera jamais à aimer cet endroit. Elle qui a abandonné la métropole et un vrai métier pour épouser un fermier. Son mal de vivre s'est immiscé dans son cœur en même temps que l'odeur de fumier s'est imprégnée dans chaque parcelle de peau et de vêtement exposée. Leur mère avait peur de tout : de la saleté à la maladie. Ce n'était pas évident, dans une ferme qui produisait du grain, trop de lait, de la viande bio, de tout, à l'exception du profit.

Un pacte unit Joce et Vie – c'est ainsi que les deux sœurs se surnomment –, que personne ne pourra jamais briser. La nuit, jouissant d'une liberté temporaire, couchées côte à côte, elles se consolaient.

— Le vendredi, on se couchait dans les draps fraîchement sortis de la sécheuse et on trouvait que c'était le plus agréable moment de notre vie. On se chuchotait, Jocelyne et moi, que notre mère n'arriverait pas à nous dresser l'une contre l'autre. « Ça ne marchera pas. Elle ne nous aura pas. On s'aime beaucoup trop. »

Montréal, années 1990

Jocelyne vient d'accoucher de son deuxième enfant. Un autre mignon petit garçon. Mais elle voit bien que ça ne tourne pas rond. Sans que personne le sache, elle ira passer des tests. Mais cela se saura...

Quelques semaines plus tard, à l'occasion d'une visite chez Sylvie, elle attire discrètement cette dernière dans la salle de bain, où elles pourront verrouiller la porte. C'est leur refuge depuis toujours pour partager leurs petits secrets. L'une s'assoit sur le couvercle de toilette, tandis que l'autre s'appuie au mur. Aujourd'hui encore, la teneur de leur conciliabule est importante.

— J'ai la sclérose en plaques, annonce Jocelyne.

— Ah ! Il n'y a rien là ! répond Sylvie.

— T'es bien la première à me dire quelque chose de positif !

— J'ai confiance, c'est tout. Nous sommes des sœurs et, je te dis, nous allons passer à travers cette épreuve.

C'est cette attitude rationnelle et optimiste qui les portera pendant plusieurs années.

Rapidement, Jocelyne devient très malade. Elle ne supporte pas les médicaments prescrits, qui provoquent des effets secondaires, dont diverses allergies. Elle continue à travailler pendant un certain temps, mais doit régulièrement subir des tests et des analyses sanguines.

Elle adopte les principes alimentaires de la docteure Kousmine. Ses cheveux et ses ongles poussent vigoureusement, mais, malgré son regain d'énergie, la maladie progresse inévitablement.

Avec le temps, cette peste de maladie rend sa démarche vacillante, boitillante. Un jour, Jocelyne s'est brisé la cheville, mais elle l'a caché, voulant à tout prix éviter le fauteuil roulant. Elle sait que c'est ce qui l'attend. Elle réalise vite qu'elle ne veut pas finir ses jours paralysée dans un fauteuil.

Les années passent et Jocelyne ne peut se déplacer qu'en fauteuil roulant. Sylvie, en optimiste incorrigible, lui lance : « Ce n'est pas parce que t'es assise que tu n'es pas capable de te tenir debout. » Cette phrase deviendra le leitmotiv de Jocelyne jusqu'à son dernier souffle.

Le papa et Sylvie s'occupent de presque tout. L'ingénieux bricoleur réinvente les lieux de sa grande fille : des rampes, des planchers de caoutchouc, des appuis un peu partout, des lavabos réaménagés...

Après quelques années, sa maladie a empiré et sa situation s'est dégradée. Puis est venu pour Jocelyne le moment d'annoncer à Sylvie qu'elle portait un secret qu'elle ne pouvait plus garder seule. Elle venait de recevoir, par courriel, la réponse qu'elle attendait. Sylvie n'oubliera jamais le jour de cet appel téléphonique : c'était la Saint-Jean-Baptiste.

— Sylvie, c'est décidé, on s'en va chez Dignitas.

— ...

— Sylvie, as-tu compris ce que je viens de te dire ? Es-tu prête ? Es-tu prête à m'accompagner ?

— Donne-moi un peu de temps. Je vais te rappeler.

Dignitas, en Suisse, est le seul endroit au monde qui accepte les étrangers souhaitant se suicider. L'association a une maxime : *Vivre dignement – Mourir dignement*. Jocelyne ne pouvait obtenir ce service au Canada, car, pour avoir droit à l'aide médicale à mourir, il faut être en fin de vie. Jocelyne ne voulait pas se rendre à cette étape ultime.

— Elle serait devenue un légume et ne voulait pas se rendre là, explique Sylvie. Déjà, son élocution devenait difficile et elle avait de plus en plus de mal à avaler. Elle disait tout le temps : « Quand les garçons seront autonomes, je vais m'en aller. Je ne vais pas attendre de ne plus être capable de respirer seule. »

Sylvie a pris du temps avant de rappeler sa sœur, elle qui composait le numéro trois fois par jour depuis des années.

— Je m'en sentais incapable, puis, soudainement, ça m'a frappée : est-ce que j'étais égoïste de ne pas accepter la décision de Jocelyne ? Pourquoi je pleure ? C'est sa vie, son choix. Je ne pense qu'à moi dans cette histoire. Chaque fois que j'avais de la peine, je me raisonnais : arrête de penser à toi, pense à elle. C'est ce qui a fait que...

Presque trois jours plus tard, Sylvie joint sa sœur au téléphone.

— Bon, tu vas me dire « non » ? lui lance Jocelyne.

— C'est ça, tu vas avoir un « non » parce que je ne te laisse pas aller en Suisse toute seule.

Le processus aura duré dix-huit mois, la partie ardue et parfois frustrante étant d'obtenir des documents de médecins canadiens. Une fois la photo de passeport prise et les radiographies dentaires aux fins d'identification faites, il faut pouvoir supporter le voyage en avion. Le nombre de formulaires à remplir, de documents à fournir, toute la paperasse à obtenir doit en décourager plusieurs. Il faut vraiment vouloir mourir pour franchir cette étape.

Quand Jocelyne a su qu'elle était acceptée par Dignitas, un mélange de joie, de peine et d'angoisse l'a envahie.

— Elle réalisait qu'elle laissait ses fils. Elle ne voulait pas être un poids pour eux, explique Sylvie. Elle dormait mal la nuit, paniquait et m'appelait. Je l'écoutais. Qu'est-ce que je pouvais faire d'autre? C'était son choix. Je lui répétais simplement que je la comprenais. Que c'était une grande décision... Je ne pouvais pas lui dire de ne pas y aller.

Un jour, un courriel est arrivé de Suisse. Une missive d'à peine quelques mots qui, en d'autres circonstances, auraient pu paraître anodins : « Le 9 septembre, à 11 heures du matin. »

Qui d'autre connaîtra à l'avance la date, le jour et l'heure de son propre décès? Ce fut, littéralement, le début de la fin.

Un 9 septembre, à 11 heures du matin

Jocelyne, accompagnée d'un de ses fils, d'un ami de la famille et de Sylvic, arrive à l'heure dite. Il en reste douze avant d'avoir à quitter les lieux. D'ici là, Dignitas s'occupe de tout.

— Je suis prête tout de suite, dit Jocelyne. Une petite gorgée et on y va. Je n'ai pas attendu tout ce temps pour venir me morfondre ici douze heures de plus.

Sylvie maquille Jocelyne en lui lançant nerveusement des blagues. Des histoires de chaises électriques et une niaiserie de t-shirt avec des têtes de mort.

— On s'est mises belles, se souvient Sylvie. Nous n'étions pas capables de nous regarder.

Depuis plus d'une heure, je suis assis chez Sylvie et, tandis que je grignote le délicieux goûter qu'elle a préparé, elle se rappelle. Maintes fois, elle s'égare pour vite s'excuser et reprendre le chemin de son récit. Les yeux se brouillent, son cœur est encore en Suisse. Cela se voit. Une gorgée de café et elle poursuit, déterminée, le récit de cette journée fatidique où elle a le sentiment d'avoir fait le don de la mort à sa frangine adorée.

Le soleil brille dans le jardin chez Dignitas. En le traversant, ils aperçoivent la petite maison et la dernière porte qu'ils franchiront ensemble. Sylvie remarque que l'infirmière porte un uniforme blanc avec un plastron bleu agencé au mur de son environnement de travail. « Elle a de bien beaux cheveux, fait remarquer Sylvie, et elle est coiffée comme un des personnages de *La petite maison dans la prairie.* »

Avant d'entrer, ils doivent montrer le passeport de Jocelyne. Une fois à l'intérieur, celle-ci se tourne vers Sylvie et lui tend ses boucles d'oreilles préférées.

— Prends-les et mets-les tout de suite ! dit Jocelyne.

— Beurk ! s'exclame Sylvie. Tu vas partir avec tes boucles d'oreilles, s'il te plaît.

L'infirmière intervient : Jocelyne doit enlever tous ses bijoux. Et elle ajoute, avec délicatesse : « Asseyez-vous dans le lit et on va vous coucher. » Jocelyne regarde sa petite sœur et dit : « Ce n'est pas parce qu'on est assis que l'on n'est pas capable de se tenir debout. »

— La maususse ! commente Sylvie, les yeux levés vers le ciel.

Elle voulait mourir assise. On a pris le fauteuil et on l'a mis face au patio. Elle aimait voir le jardin.

Il y a deux liquides à boire. Le premier sert à rendre le deuxième avalable. Il engourdit la gorge et prépare le chemin. Jocelyne avale le premier fluide d'un coup sec.

— Ah, il n'est pas si pire ! dit-elle.

— Attends l'autre ! lui répond Sylvie.

— Ouin, je m'en doute...

Jocelyne est assise avec une photo de son mari, décédé il y a plusieurs années. Quelques instants plus tard, elle jette un coup d'œil dehors et dit : « De ce côté, c'est bien beau, mais, pour vos prochains visiteurs, plantez un arbre ou quelque chose pour cacher l'enseigne qui gâche la vue. Je la tolère, mais enlevez-moi ça pour ceux qui suivront. »

— Une dernière pensée pour les autres, explique Sylvie. Une demi-heure après le premier liquide, après avoir échangé plein de conneries, après avoir beaucoup ri, elle m'a prise par le bras et m'a dit : « Merci, grâce à toi, j'ai atteint mon but. »

Le moment était arrivé. L'infirmière lui a tendu un modeste gobelet en carton et Jocelyne l'a agrippé à deux mains, puis l'a porté à ses lèvres. Elle a avalé le contenu en deux gorgées.

— Je tenais la photo de son mari devant son visage, et elle m'a dit : « Je m'en vais le rejoindre. Là, c'est ta face que je veux voir »... et, pas longtemps après, elle s'est endormie.

Avant de mourir, Jocelyne a ronflé.

— Vous n'êtes pas obligé d'écrire ça, me dit Sylvie en reniflant péniblement.

Habituellement, c'est fini en cinq minutes, mais, une demi-heure après avoir bu le deuxième liquide, Jocelyne n'était toujours pas décédée. Des gens l'ont transportée du fauteuil au lit et ses jambes, rigides depuis si longtemps, sont devenues toutes molles.

— J'ai crié : « T'es libérée ! T'es libérée ! » J'étais contente parce que son corps avait perdu sa raideur et était redevenu souple.

— En accompagnant ta sœur jusqu'à sa mort, que lui as-tu donné ?

— Je réalise que c'est Jocelyne qui m'a donné une rai-son de vivre, de profiter de la vie, d'apprécier la chance que j'ai de me lever tous les matins et de marcher. Sur un coup de tête, je peux décider de faire un voyage et simplement partir. Ce qu'elle m'a donné est inesti-mable. Je sais maintenant qu'il n'y a rien d'ordinaire dans la vie. Rien.

— Donc, toi, tu n'as rien donné ?

— En ce qui concerne ma sœur, depuis que nous som-mes enfants, ça a toujours été mutuel. Un échange de conneries et d'amour. Nous partagions une belle com-plicité. J'ai donné du temps et elle m'a donné de l'amour.

Sylvie a conservé trois messages de Jocelyne dans sa boîte vocale. Si on ne sait pas de quoi il s'agit, ce qui se dit peut paraître banal. Elle me les a fait entendre. Celui-ci me touche particulièrement :

Beep ! « Bonjour Sylvie. Probablement que tantôt j'étais dans l'ascenseur quand tu as téléphoné parce que j'ai vu l'heure que t'as appelé. Fait que, salut, je t'aime. Effectivement, ça fait longtemps qu'on s'est parlé. Ça fait peut-être une journée. Bye Sylvie. » Beep !

Montréal, mai 2017

— Sylvie, j'ai entendu dire que tu soutiens des per-sonnes qui ont fait le même choix que Jocelyne. C'est vrai ?

— Oui. Le conseil le plus important est d'y aller étape par étape. Êtes-vous capable de prendre un verre dans vos mains, de la grosseur d'un shooter ? Si vous ne pouvez pas faire ça, vous ne pouvez pas y aller, car ce serait un suicide assisté. Personne ne peut faire boire le liquide et les pailles sont interdites.

— Donc, tu aides les gens qui te le demandent ?

— J'aide, mais je ne les rencontre pas, je n'en suis pas capable. Je fais tout par téléphone ou par courriel. Ils veulent toujours me rencontrer, mais je leur réponds : « Si je vous vois, je vais avoir de la peine quand vous allez partir. Je vous aime déjà, il faut bien que je me protège. Je vous donnerai tous les renseignements utiles. » Je suis comme ça, moi, j'aime le monde.

Rien de cette histoire ne m'a fait changer d'avis : une personne saine d'esprit qui souhaite mourir pour éviter de vivre l'enfer sur terre devrait pouvoir mettre fin à ses jours. Sylvie a fait preuve de beaucoup de courage. Je ne suis pas certain d'avoir ce courage. J'espère que je n'aurai jamais besoin de le vérifier. Je vous le souhaite, à vous aussi.

Sterling,
le don planifié

L'avant-dernière fois que je suis allé à Rome, le pape m'a fait un petit cadeau. Nous étions en décembre 1999. En allant voir la *Pietà* au Vatican, j'ai découvert sur une affiche que Jean-Paul II devait chanter une messe plus tard dans la journée.

À l'époque, les mesures de sécurité n'étaient pas ce qu'elles sont devenues. Les dédales de barrières en zigzag n'envahissaient pas la place Saint-Pierre. L'accès à la grande basilique, surtout en décembre, était bien moins surveillé et contrôlé. La

porte s'ouvrait, que l'on soit pèlerin ou simple visi-
teur, et on entrait.

La *Pietà* était là, *a destra*, derrière un panneau de verre
et une guirlande pourpre. Pour passer le temps, je me
suis aventuré dans les coins et les arrondis de la basilique. J'ai contourné les colonnes, examiné les statues,
lu les plaques explicatives des fresques. Des anges et
des chérubins, il y en avait, mais aucun hommage à
saint Justin. Sinon, ce devait être discret, car je n'ai
rien repéré pendant les trois heures que j'avais à occuper avant que le pape ne vienne nous inspirer.

Avant la grand-messe, je suis allé acheter un rosaire à
la boutique sacrée pour grand-maman Maya. Elle
priait souvent à l'église de Wendover, dans sa petite
communauté ontarienne. Mon plan était simple : à la
fin de la messe célébrée par Sa Sainteté, m'agenouiller,
talons aux fesses, et faire bénir le long chapelet bleu et
argenté.

Je me suis absenté à peine une vingtaine de minutes,
mais déjà les premières rangées étaient combles. Des
fidèles un peu partout, coude à coude, se recueillaient.
Je me suis dirigé vers la toute dernière rangée de bancs,
loin du Christ sur sa croix et de l'autel sacré. Il fallait
croire, en bon catholique, que la bénédiction émanant
de la voix frêle allait rebondir au plafond et se rendre
jusqu'à mon précieux objet. Debout derrière les rangées de sardines concentrées sur leurs prières, proche
des grandes portes (comme tout paranoïaque avisé),

j'ai vu le pape entrer tout à côté de moi. Avec ma bonne fortune, il était là, juste là, à portée de mon bras droit. Je lui ai lancé un respectueux : « Bonjour, m'sieur le pape. » Sa tête ne s'est pas tournée. Elle était toujours penchée sur ses espadrilles rouges. Après trois heures d'attente, suivies d'une messe pour enfants chantée en plusieurs langues, nous nous sommes tous agenouillés pour recevoir la bénédiction papale. Un de nous tenait à bout de bras un chapelet pour Maya.

Presque vingt ans plus tard, me revoici au Vatican. Je ne m'attends pas à croiser tout de suite François, le nouveau pape jésuite. De tous les souverains pontifes que j'ai connus, pour ne pas dire priés, celui-ci, il me semble, pourrait bien me parler du don. Je me suis dit que cela vaudrait la peine de revenir ici, en dévot, et d'espérer une audience. Ma collègue, Vanessa, et moi lui avons écrit maintes fois, mais sans succès ni même une réponse. J'ai aussi communiqué avec l'ambassade du Canada située près du Saint-Siège, convaincu que les attachés pourraient peut-être m'aider, mais ma requête n'a pas éveillé leur intérêt. J'ai pensé à tweeter le pape, mais, au contraire du Don américain (le *twit* qui *tweet*), je doute que ce soit Franciscus lui-même qui gère ces cent quarante caractères. J'ai été jusqu'à imaginer la conversation que nous aurions tous les deux, assis dans son salon :

— Crois-tu au Créateur tout-puissant, mon fils ?

— Je crois au pouvoir du bien contre le mal, mon Père.

Une autre sacrée hallucination... De toute façon, il ne restait qu'une dernière option : y aller.

Comme un homme habitué à manœuvrer, je navigue pour me frayer habilement un chemin en sautillant parmi la foule de fidèles devant le musée du Vatican. Je tourne à droite, vers la place Saint-Pierre, mais, avant, je bifurque vers les bureaux administratifs de la curie romaine. Mon élan est vite freiné par un membre de la Garde suisse pontificale, réputée efficace malgré le costume un peu trop Gobelet qu'elle doit porter. Il me barre le passage. Mes mots ne se rendent même pas à ses oreilles. Ses mains, d'un geste habitué, nous chassent de l'enceinte, ma demande et moi. Je n'ai pas besoin d'un signe plus divin que ses poings et ses bras croisés pour comprendre qu'il est temps de rejoindre le bétail, le troupeau auquel j'appartiens.

Et, comme le jeu du hasard ne m'épargne pas, le soir même, dans ma chambre d'hôtel, en surfant sur Internet, j'apprends qu'aujourd'hui le premier ministre canadien était aussi à Rome. Et que lui est passé chez François avec sa femme en noir dentelé prendre le thé, en audience privée.

Natif d'Ottawa, je me fais demander depuis toujours : «As-tu été nommé Justin d'après Justin Trudeau?» Non! Je suis né une année avant lui. Sur la colline du Parlement, nos pères se sont croisés, donc, c'est peut-être à lui qu'il faudrait poser la question. Celui que j'appelle le PM des RP, après m'avoir doublé chez le pape, a prié ce dernier de s'excuser au nom de l'Église catholique des abus commis dans les pensionnats autochtones. Convaincu que le pape apprécie beaucoup se faire dire quoi et comment faire par le premier ministre, roi des selfies, je me demande bien à quoi serviraient ces excuses. Y aurait-il un geste qui irait plus loin que quelques mots, qui semblent d'ailleurs si difficiles à prononcer ? Bof, pour l'instant, la politique et les préjugés ne sont pas mon principal souci. Peut-être que le Saint-Père s'est tout simplement trompé de Justin – heureusement, cela n'arrive pas à tous coups.

Ibrahim du Ghana ne commettra pas la même erreur. À un coin de rue du dôme, sur la grande avenue, Ibrahim me voit émerger, moi, l'étranger qui revient bredouille. Il m'accoste, une main plantée sur mon épaule et, de l'autre, il m'offre un bracelet orné d'un éléphant noir bien taillé. Lui, il sait aborder les passants, avec toutes les bébelles qui lui pendent au cou et qu'il a à vendre.

— Prenez-le, je vous le donne, me dit-il, en plaçant l'éléphant dans le creux de ma main.

— Non, non, merci, vous êtes gentil, mais je n'en veux pas.

— Si ! si ! Je vous le donne, acceptez le bracelet, je vous l'offre en cadeau.

— Ce n'est vraiment pas nécessaire, cher ami. Non, merci.

— J'insiste pour que vous l'acceptiez, mon ami.

— Bon, d'accord. Je vous remercie pour ce don.

— Maintenant, vous, donnez-moi quelque chose.

Moi qui n'avais cessé de marcher, je m'arrête sur-le-champ et je ris aigrement de son stratagème. Pour m'en débarrasser, je lui donne un dollar américain. Il le prend et, les yeux collés au creux de sa main, dit :

— C'est tout ?

— Oui, ce sera tout. Je n'ai rien d'autre à vous donner.

Une belle leçon au sujet du don pas vraiment donné. Et dire qu'il ne m'aura coûté qu'un dollar américain pour l'apprendre.

J'accélère le pas, car je dois me rendre à mon hôtel somptueux perché au-dessus de Rome. Ce n'est pas moi qui y ai réservé une chambre, mais plutôt un généreux client qui m'a invité à y prononcer une allocution sur l'humilité et la créativité devant un parterre d'hommes et de femmes d'affaires. J'ai un rendez-vous avec Sterling, un comptable agréable de l'Ouest canadien. Après la conférence, le matin même, il m'a dit qu'il souhaitait s'entretenir avec moi. Comme d'habitude, j'ai accepté la rencontre.

Pour les intéressés, sachez que je dis toujours « oui », et j'offre au minimum quinze minutes et un café à toute personne qui me le demande. Je fais cela pour toutes les fois que l'on m'a servi un « non » dans le passé. J'ai une petite sensibilité, et peut-être une cicatrice ou deux, à cause des nombreux rejets dont je me souviens très bien. Si vous voulez me voir, vous me verrez. Mais ce soir, c'est Sterling qui m'aura, lui qui travaille pour une firme qui donne des conseils en matière d'assurances et de finances. Il n'est ni grand, ni gros, ni imposant. Il est docile, porte bien ses cheveux gris et arbore un visage souriant. Sterling parle du bout des doigts, mais c'est plus comme un chuchotement. Nous sommes en Italie, après tout, entourés de Romains qui crient avec leurs mains.

— J'aimerais discuter de ce livre sur le don que tu as mentionné, m'a-t-il dit.

— O.K., allons boire un verre. Disons au bar à dix-sept heures ?

Il commande un Aperol Spritz et moi, un amaro. Pour une rare fois, mon interviewé commence avec une question :

— Lorsque tu te documentes pour ton livre, est-ce que ton approche diffère selon les interlocuteurs ? Et, lorsque tu as cerné leurs motivations, comment les abordes-tu ?

— Je cherche à comprendre l'humanité de chacun et à faire ressortir ses réelles intentions lorsqu'il fait un don. Le point de vue d'un conseiller financier, comme toi, je ne me suis pas encore penché là-dessus.

Mais Sterling enchaîne déjà :

— Il y a toutes sortes d'organismes de charité auxquels on peut donner. Et, surtout, une multitude de façons de le faire.

Nous sommes assis sur un canapé comme deux patriarches romains dans une bande dessinée. La Ville éternelle est littéralement à nos pieds. Quelle vue ! Je ne peux m'empêcher d'imaginer Astérix en visite au Domaine des dieux. Nous nous trouvons au Rome Cavalieri, et ce paysage, cette fresque vivante aurait inspiré Uderzo (ou était-ce Goscinny qui inspirait l'autre ?).

Qu'importe. Sterling est ici et me fait la nomenclature des organismes et des groupes professionnels voués à la bienfaisance. Le phénomène est si important qu'il existe des cours où l'on vous enseigne comment faire signer un chèque à n'importe qui enclin à la générosité. La mission de Sterling est de conseiller des Canadiens bien nantis qui veulent préparer un plan financier pour leur fin de vie. Ces gens souhaitent accorder leur portefeuille avec leur conscience et leurs convictions.

La générosité de ses clients se manifeste de plusieurs façons. La plupart du temps, leur sens moral et leur éducation religieuse les incitent à donner. Sterling m'explique qu'il est lui-même mennonite ct qu'un bon chrétien doit aider son prochain.

— Mon objectif est que les dons faits par mes clients soient en accord avec leur foi, certes. Cependant, au-delà de la conviction religieuse, il est primordial de rendre à la vie et à la société ce dont nous avons bénéficié. Par exemple, financer l'aile d'un pavillon hospitalier où votre maman est décédée, créer une bourse d'études ou léguer des œuvres d'art. Le don représente l'unique et seule manière de perpétuer la vie. Le principe est d'amener le client à donner un sens à la richesse qu'il a accumulée.

Lorsque Sterling convainc un client de donner plus ou de donner pour la première fois, le boulot de cet homme de chiffres trouve toute sa valeur. Le processus ressemble aux formalités à remplir pour contracter une assurance. Le client répond à une série de questions qui l'obligent à réfléchir et à mettre sur papier ses volontés pour le reste de ses jours et au-delà. « Si je fais un don de mon vivant, aurai-je suffisamment d'argent d'ici le dernier sommeil ? Je ne voudrais pas avoir à manger de la viande en conserve ou, pire, à me réfugier dans le sous-sol de mes enfants. » Sterling doit s'assurer que les personnes sont capables d'altruisme sans trop compromettre leurs économies.

— Mes clients parlent d'abord d'héritage familial. Ils veulent aussi partager avec leurs enfants leur spiritualité, leur moralité, leur sensibilité aux autres. Une fois qu'ils savent qu'ils peuvent subvenir à leurs besoins, que leur progéniture aura ce qu'il faut – bref, qu'on ne leur en aura pas trop demandé –, que faire avec le surplus ?

Sterling poursuit en m'annonçant qu'à lui seul il veut changer le monde. Ce n'est pas la première fois qu'il explique à quelqu'un ses ambitions, mais, selon ses dires, je suis le premier à ne pas rire pendant son explication. Je ne vous dis pas cela en rigolant, le sérieux de son ton mérite toute mon attention.

— De quarante à cinquante ans, nous travaillons aussi fort que possible pour avoir le plus grand impact possible. Mais ensuite, de cinquante à soixante ans, à la mi-temps de la vie, on commence à se demander : « Pourquoi suis-je sur terre ? Ça servira à quoi, tout ça ? » C'est à ce moment-là que je peux aider les gens à répondre à leur interrogation.

Il appelle cela le *sweet spot,* les conditions propices pour que son client prenne conscience qu'accumuler de l'argent n'est plus son objectif premier. La réponse se trouve dans le virage que doit prendre son existence et dans son désir d'améliorer le monde. Parfois, cela veut dire changer de carrière. Certains sont attirés par l'aide humanitaire au tiers-monde. La volonté de donner est très personnelle. Pour Sterling, la clé est de bien comprendre son interlocuteur, d'où le questionnaire mentionné plus haut. Après tout, nous parlons ici d'assurances et de services financiers. À mes yeux, l'exercice ressemble plutôt à un test de valeurs personnelles.

Sterling commence avec une liste comportant vingt-cinq mots. La personne en choisit d'abord quinze. Dans un deuxième temps, la liste est réduite à dix mots. La sélection finale n'en aura que cinq. Voici la première énumération : responsabilité, réussite, défis, compétence, créativité, éducation, éthique, famille, réalisations, intendance, générosité, dons, honnêteté, indépendance, loyauté, sens, argent, philanthropie, ordre, reconnaissance, services, spiritualité, statut, richesse, sagesse.

— Quels sont tes cinq mots, Sterling ?

— Réussite, intendance, générosité... et les deux autres ne me viennent pas à l'esprit.

Cinq n'est pas toujours mieux que trois dans ce cas... mais je digresse.

— Le profil de mes clients et les choix de chacun s'étalent sur un long continuum. Il y a les Warren Buffett qui donnent tellement à leurs enfants que ces derniers s'imaginent pouvoir faire n'importe quoi sans jamais travailler. Il y a ceux qui se disent que personne ne leur a jamais rien donné et dont les rejetons reçoivent un gros rien. Ils affirment : « Je vais tout dépenser et le dernier chèque sera sans provision. » Un bang final qui en dit long sur ces gens.

Pour ceux qui n'ont pas trouvé leur compte parmi les vingt-cinq mots proposés dans la liste, il en existe une autre, élaborée par Sterling et son équipe. Elle offre des choix qui peuvent aider à contrer l'avarice et vous permettre de mieux comprendre vos propres sentiments et besoins : se bâtir une cabane dans la forêt, travailler moins, soutenir l'entrepreneuriat, ouvrir un compte d'épargne pour y déposer les dons, anticiper une retraite, subventionner des mariages, offrir la liberté financière à un étudiant, s'occuper des parents, voyager seul ou en famille, trouver un loisir stimulant, passer plus de temps avec les enfants, soutenir un ami qui ne va pas bien. L'exercice doit permettre de donner davantage selon ses convictions, mettre en ordre ses priorités, partager ce que la vie nous donne et détermi-ner jusqu'où on est prêt à donner.

Je profite de notre rencontre pour lui poser une ques-tion cruciale :

— Posséder beaucoup d'argent ou ne pas en avoir change-t-il une personne ?

— Voilà ce que j'ai toujours affirmé : l'argent ne définit pas qui tu es. Si tu es radin, tu le seras, que tu sois pauvre ou que tu aies de l'argent plein les poches. Mais si tu es de nature généreuse, tu le seras toujours, que tu en aies les moyens ou non.

La plupart des richissimes de ce monde couchent sur leur testament, en moyenne, cinq œuvres de charité. L'objectif de Sterling est de les convaincre d'offrir dix pour cent de la valeur de leurs biens.

— Comment es-tu devenu cet homme qui aide ses concitoyens à donner ?

— Au fond de moi, je suis persuadé que je ne suis pas assez bon pour réussir. La plupart des personnes qui réussissent ont cette certitude en commun. J'étais un garçon intelligent, ce qui m'a permis de sauter une année scolaire. Être le *nerd* de la cour d'école mène souvent à de la taquinerie ou même à de l'intimidation. J'étais bourré de complexes. De plus, mon père présente une sacrée fiche de réalisations. Il a tout fait : photographe, pilote, businessman, gestionnaire, propriétaire et inventeur. Encore récemment, en Haïti, il a développé un concept de presse à papier. J'ai toujours trouvé difficile de suivre ses traces. Dans ce que j'ai accompli, je ne voulais qu'une seule chose : qu'il soit fier de moi. « Mais bien sûr que je le suis », m'a-t-il dit un jour. J'ai mis du temps à comprendre qu'il avait été aussi mal en point que moi, plus jeune.

— Alors, lorsque tu étais plus jeune, quels conseils te serais-tu donnés ?

— De regarder mes peurs droit dans les yeux. D'accepter que j'étais doué pour certaines choses. Et de mieux partager ce que j'avais.

— Et tu aurais accompli cela en étant conseiller financier ?

— Oui. Par contre, en ne me limitant pas seulement à l'aspect argent. C'est ce qui me différencie du mec de la banque, selon mes clients.

— Et, si je peux te demander, combien as-tu donné l'année dernière ?

— Presque dix pour cent de ce que j'ai gagné. Et toi ?

— Moi, c'est à mon calendrier le 31 décembre de chaque année et, cette fois-ci, j'ai oublié.

— Trouve une façon d'automatiser la manœuvre et fais-le au début de l'année !

Sterling veut créer l'effet multiplicateur du don, une formule à perpétuité. De mon côté, je réalise que c'est simple de penser à transmettre un héritage de son vivant, mais que ce n'est pas si simple de donner réellement. De toute évidence, attendre jusqu'au dernier jour de l'année est bien plus risqué que de faire son don au moment des résolutions du premier de l'An.

Massimo,
le don d'un café

Ils l'ont pendu là où la grande photo de Georges St-Pierre devait aller. Juste à droite de la porte d'entrée, devant la caisse. À l'endroit que j'avais en tête depuis longtemps, il y avait autre chose : un babillard couvert de petites cartes rosâtres.

J'avais offert au propriétaire du café San Gennaro, un bon ami à moi, une photo de Georges. Elle faisait partie de ma plus récente exposition de photos. Je l'avais montée pour montrer comment vit le grand champion. Il y avait sur le papier torchon – ce qui veut dire composé d'argentique et cousu de fibres de coton – un sac de boxe rose et usé à côté d'un crucifix mat et fatigué. C'était une métaphore qui illustrait bien le concept de l'exposition : Georges qui s'entraîne au karaté en compagnie d'un copain qui est aussi prêtre. Une juxtaposition, vraiment : la foi *versus* le sport de combat. L'éternelle question...

Malgré ça, ce que mon ami Massimo a le plus apprécié dans cette photo est certes la touche de rose qui cadre bien avec le décor de son café napolitain.

San Gennaro, un collègue martyr de Justin le philosophe, est le saint patron de Naples. Voilà l'inspiration derrière le nom du café. Il se trouve rue Saint-Zotique, un autre martyr, qui, celui-là, a été écartelé par des mules en l'an 350. Zotique avait nourri les plus démunis de la société et hébergé les lépreux comme s'ils étaient ses copains, mais, une fois son chum Constantin décédé, Zotique a été le prochain à y passer. L'ironie est que celui qui a décidé qu'il allait terminer sa vie écartelé est le même qui l'a fait canoniser.

San Gennaro, on le connaît aussi comme Januarius ou Janvier de Bénévent, mais juste comme ceux qui croient à la liquéfaction du sang de cet évêque à deux têtes comme Janus. Donc, la photo que je lui ai offerte en don n'est même pas encore encadrée qu'elle a été remplacée par un tableau à punaises et à petits cartons. En d'autres mots, la tradition du *caffè sospeso* a dégommé mon portrait de GSP.

Remarquant le nouveau babillard un matin en buvant le café, je me suis demandé : mais qu'est-ce que cette apparition ?

Le café *sospeso* est une tradition napolitaine que le papa de Massimo souhaitait ressusciter. Il s'appelait Aniello et ses restaurants ont fait jaser et saliver pendant plusieurs années. *Caffè sospeso*, littéralement, veut dire « café en suspens ». La tradition est née dans les quartiers ouvriers de Naples au début du XXᵉ siècle apparemment. Un individu qui passait une bonne journée ou qui bénéficiait d'un coup de veine partageait sa bonne fortune en payant un café à un quidam. Chaque jour, un malheureux pouvait se présenter au comptoir d'un bar et demander s'il n'y avait pas, par hasard, un *sospeso*. On appelle ça un bon exemple de solidarité en période de turbulences économiques, une petite gorgée de bonheur, mais seulement si le café est revêtu de sa créma, la tunique d'un bon barista.

Selon mes sources cybernétiques, il y a beaucoup moins de cafés en suspens à Naples depuis quelques années. Sauf dans le temps de Noël, quand la conscience des plus munis est bien caféinée. Aurelio De Laurentiis, le patron du club de foot Forza Napoli, en paie dix à chaque victoire de son équipe tant adulée. On appelle ça comment, un don de dix cafés, qui doivent coûter environ quinze euros au président du deuxième club le plus riche en Italie ? En tout cas...

Même si la tradition devient chancelante en Italie, la coutume se répand dans plusieurs pays, tels l'Australie, la Bulgarie, la Roumanie, l'Espagne, l'Ukraine, la Russie, l'Argentine, les États-Unis, le Costa Rica, et le Canada aussi, bien entendu.

Chez San Gennaro, on peut constater, d'ailleurs, la redéfinition du concept. Les petits cartons sont porteurs de messages écrits à la main. Parfois, le café est destiné à des humains précis : une maman, un sans-abri, un combattant de l'UFC, un ouvrier et même un écrivain. Ou bien il est destiné à un ami dont le nom est écrit.

J'y ai vu un bon éventail de cartons décorés de messages d'amitié. Roberto, du cours de *spinning*, il y en a un qui t'attend de la part de Julie. Certains écrivent un long petit mot pour célébrer l'arrivée d'un bébé ou simplement parce qu'on est vendredi. D'autres offrent un latté ou deux expressos, un allongé ou, dans le cas de Jess, plein d'amour pour Carlo. J'ai trouvé aussi un dénommé Teddy à qui on offre une coupe de crème glacée. (Oui, oui, je le sais Massimo, on dit *gelato*. Du calme, toi et ton énième expresso.)

Je vais vous avouer qu'après mon deuxième macchiato je me demandais où Massimo déplacerait ce support à *sospeso* et quand Georges prendrait sa place. Mais, à force de lire les messages et d'observer le visage des gens qui offrent des cafés, j'admets que le bonheur s'échange à prix modique chez San Gennaro.

Je n'en connais pas beaucoup qui ont pu déplacer GSP si facilement.

Ça ira, Massimo, tu l'accrocheras dans ton salon.

Adam,
le don aux suivants

Adam prépare de la soupe au poulet pour sa grand-maman. Elle lui en a demandé. Assis à la table de la cuisine à l'observer, je me roule un joint en buvant son café. Il y a quelques mois, sa carrière olympique s'est terminée à Rio. Il n'ira plus sur l'eau dans son kayak avec un maillot du Canada et ne pourra pas, non plus, ajouter de médailles gagnées lors de compétitions aux cinq anneaux à sa collection : une d'or, deux d'argent et une de bronze. C'était ses derniers Jeux. Il a terminé premier dans la course de consolation après une demi-finale complètement

ratée. Je lui ai demandé ce que cette dernière participa-
tion lui avait donné.

— J'ai voulu m'offrir quelque chose, mais quelque
chose de très égoïste, a-t-il répondu sans vraiment
préciser. Agir en fonction de nos propres besoins ne
veut pas dire que cela nous rend incapables de veiller
aux besoins des autres.

C'est bien lui : un fonceur, seul dans son bateau, toujours conscient de tribord et de bâbord. Une tête dure
aux mains calleuses. Mais aussi quelqu'un qui te fera le
meilleur, mais vraiment le meilleur arabica.

Il dissèque le poulet de grand-maman et analyse de
quelle façon il réinventera sa vie maintenant que sa
boussole pointe vers toutes les directions. À première
vue, il ne semble pas différent. Les épaules, le dos, la poitrine sont encore taillés au couteau. Aristote en aurait
dit long de son *arété*, de la façon dont son corps, son cerveau et son âme sont au même diapason. Il parle directement et ses yeux vous braquent. Je m'inquiète quand
même un peu pour lui, aujourd'hui. Pendant deux
décennies, il savait ce qu'il devait faire : pagayer droit
devant, à coups de centaines de mètres à la fois.

Après avoir accroché ses espadrilles de basket, ma
Lynda s'est un peu enfargée. Elle aurait pu remplacer
son *Why not me ?*, dont je vous parlais en introduction,
par *What the hell do I do now ?* mais son feutre avait
séché. Plutôt, elle est allée se perdre pour se retrouver,
au volant sur l'autoroute 40, à s'énerver dans le trafic et

à s'écœurer dans la routine d'un nouveau métier. Dans une salle sans fenêtres, elle dessinait des logos pour des gens qu'elle n'avait jamais rencontrés et des entreprises qu'elle ne connaissait ni d'Ève ni d'Adam. Elle a mis quelques années à se ressaisir et à aligner les planètes à son goût et selon ses aptitudes.

Pendant que j'observe mon ami, ce qui se dégage du masque qu'il porte, ça s'adonne que, comme un poisson dans l'eau, il prend les devants. Depuis qu'il n'y a plus de course pour lui (et bien avant cela, selon ce qu'il me dit), il s'interroge sur le peu de ressources financières des athlètes.

— J'essaie d'aider les athlètes à mieux gérer leur « pauvreté », me dit-il. J'ai lu et j'ai réfléchi sur ce problème. J'essaie de convaincre le gouvernement fédéral et le Comité olympique qu'il existe de meilleures idées que de bâtir de nouveaux programmes autour de ces personnes à très faible revenu. Les athlètes amateurs sont pauvres et le meilleur moyen de les soutenir, c'est de leur donner plus d'argent. C'est la solution.

J'entends Félix chanter :

« L'infaillible façon de tuer un homme,
    c'est de le payer [...]
Et puis c'est gai dans une ville
Ça fait des morts qui marchent. »

Lui qui préfère courir plutôt que de marcher, je ne lui fredonne pas mon refrain. Il n'est plus à la palette de son embarcation, il tient le micro à deux mains :

— Le gouvernement nous dit que la solution se trouve dans de meilleurs entraîneurs, des installations modernes et plus de possibilités pour l'entraînement. Comme il le fait avec le secteur militaire, ou tout autre programme coûteux, il investit de l'argent. « Nous avons des programmes pour votre santé mentale, vous pouvez aller à l'Université Queen's gratuitement, disent les responsables aux athlètes. Nous avons créé une solide structure bien administrée autour de vous, des trucs comme À nous le podium, et d'autres campagnes inutiles. On a plein de trucs à mettre à votre disposition. Vous n'avez qu'à demander. Mais jouez notre jeu ! » *Whatever*...

Il marque une pause et reprend :

— Ces athlètes gagnent vingt-quatre mille dollars par année et vous vous attendez à ce qu'ils soient les meilleurs au monde ! La solution est droit devant vous : donnez-leur au moins mille dollars de plus par mois et laissez-leur le soin d'en disposer et de faire les choix qui leur conviennent. Ne vous en faites pas, avec mille dollars de plus par mois, ils ne vont pas aller s'acheter une nouvelle chaîne stéréo ! Ils achèteront mieux à l'épicerie, ils paieront leurs entraîneurs de façon adéquate et, après un certain temps, ils gagneront des compétitions. Ça, j'ai dû en convaincre le Comité olympique. Il y a beaucoup de gens ainsi que plusieurs athlètes qui pensent que j'ai tort. Tout récemment, j'ai réussi à gagner une prime pour mille neuf cents athlètes canadiens : deux cent soixante-dix dollars par mois. C'est un début. Et ça, grâce à mon travail et à celui de l'équipe avec laquelle j'ai collaboré. Il y a eu des moments où cela ne tenait qu'à ma détermination. J'ai poussé très fort pendant plus de dix-huit mois et j'en suis fier.

— En profiteras-tu ? Vas-tu encaisser des chèques ?

— Je ne suis pas un des athlètes qui en avaient vraiment besoin. J'ai su bien gérer mes finances tout au long de ma carrière. Ma chance a été de remporter l'or dès mes premiers Jeux, à Athènes, en 2004, et d'obtenir rapidement de bons commanditaires. J'avais pris la décision de ne pas toucher à l'argent reçu dans l'année en cours. J'ai économisé et, aujourd'hui, je possède ma propre entreprise. Je me paye un salaire, je peux me permettre une hypothèque sur cette maison et préparer ma prochaine carrière.

» La démarche n'a pas été faite pour les athlètes qui reçoivent de gros chèques. Je parle de ceux et celles qui sont dans des sports qui ont une moins grande notoriété, comme la nage synchronisée ou le water-polo. Nous avons des médaillés olympiques en lutte qui n'ont jamais reçu un sou de commandite.

» La vérité est que je ne recevrai plus jamais un chèque à titre d'athlète. Le dernier est arrivé en septembre 2017. C'était le dernier à jamais. Je ne bénéficierai pas de cette augmentation et c'est ce qui me fait encore le plus plaisir.

Et soudainement, la soupe est dans la marmite et l'entretien est terminé. Adam veut aller au parc, courir

81

avec son chien Cairo, un rescapé arrivé d'Égypte. Cavaler sans jamais ralentir ni s'arrêter, c'est Adam. J'aurais dû m'en douter...

Chartier,
le don... mérité

Quelques jours après la visite chez les sœurs Marcellines, ma première entrevue pour le livre, j'aperçois sur mon mur – numérique, bien sûr – un événement publié, annonçant que François Chartier sera au marché Jean-Talon à l'occasion de la parution de son plus récent livre gastronomique. J'aimerais bien vous dire lequel dans son impressionnante bibliographie, mais il a tellement publié. Celui-là, comme les autres, a dû remporter un trophée, une palme, une branche ou une croquette d'envergure mondiale... ça devient compliqué.

Moi, j'allais voir mon copain François pour lui faire signer celui que j'avais acheté et faire une mise à jour des dernières nouvelles.

Je dois expliquer que, dans notre tout petit cercle d'amis, mon vieux pote François est surnommé le Moine. Ce nom est né le premier jour de notre collaboration professionnelle. À l'agence, avec mon équipe, nous cherchions à qualifier et à définir son travail parce que, sachez que Chartier, c'est beaucoup plus qu'un sommelier. Nous savions que son image de marque ne devait pas se restreindre à son livre *Papilles et molécules* et à la série qu'il a développée, mais c'était notre point de départ. Si François allait lancer des bières et des vins, collaborer avec les plus grands chefs de ce monde – les Adrià, Nobu et Modat –, il fallait mieux l'équiper sur le plan des communications.

Avant d'amorcer la discussion, j'ai demandé à tous les participants de nous dire quel fromage, selon eux, les caractérisait le plus. *Leur* fromage. Il s'agit d'un exercice de communication que nous faisons au début des rencontres de remue-méninges. Cette activité vise à éliminer la hiérarchie des titres de v.-p. ou d'autorité, à calmer les ego et à tasser les formalités. Voici comment cela fonctionne.

Je leur dis d'abord que je suis un fromage bleu. « Plus on s'en approche, plus on réalise vite si, oui ou non, il fait partie de notre palette de goûts. Ça prend rarement plus d'un souffle. » J'en rajoute : « J'ose croire que même ceux qui n'aiment pas le bleu, avec le temps, un craquelin croustillant et un bon verre de vin, l'aimeront. Ce bleu ne deviendra peut-être pas divin, mais tout au moins avalable sans se pincer le nez. »

Donc me voici, un bleu non identifié, un bâtard au parfum singulier et aux accents aigus.

François suivra. C'est une Tête de Moine qu'il choisit, ravi. « Une appellation suisse protégée qui désigne un fromage à base de lait de vache cru et entier. Sa pâte est pressée demi-cuite ou demi-dure, comme moi, dit-il. Et bien sûr, la façon de le consommer est unique au monde : à l'aide d'une girole, on obtient des rosettes. » C'est sophistiqué et un peu plus compliqué, mais j'aime l'entendre nous l'expliquer. Du Chartier tout craché ! Pour un pauvre bleu, c'est bien trop ardu... Depuis que cela est établi, moi c'est Blue, et lui, le Moine.

Ensemble, nous buvons ce que j'appelle des vins *fuckés*. Je vous parle ici de pinards non filtrés, avec des traces de sulfites et peu de chimie, conçus en biodynamie. Une bonne bouteille peut sentir le fumier et goûter le jus de cerise. À Lyon, on appelle ça des canons – recherchez Lapierre, Foillard, Métras et Morgon si vous avez soif.

Et donc, à la porte du marché, le Moine me demande sur quoi je bosse. Comme je l'ai fait avec Nadia et sœur Louise, j'explique que je veux écrire sur le don. Je lui pose la question :

— Qu'est-ce que tu en penses, du don, le Moine ?

— Eh bien, moi, je ne crois pas au don, qu'il me répond d'un ton ferme, presque irrité... un peu croûté.

Les sourcils arqués, la bouche béante, je me secoue et demande au Moine de poursuivre son homélie.

— Les gens me disent que j'ai un don, que je suis né avec mon talent, et blablabla ! explique-t-il.

— C'est quoi, blablabla ?

— J'entends dire que je suis né avec un don et que, comme Wayne Gretzky, j'ai eu cette chance. « Tu es un super dégustateur. Maudit que j'aimerais ça avoir ton don ! » À les entendre, c'est comme si je n'avais pas à travailler. Je suis né comme ça !

Mimant ses admirateurs, il a l'air dégoûté, le défroqué.

— Wayne Gretzky a patiné comme un malade pour se rendre là. L'ancienne vedette des Bruins, Normand Léveillé, était à la même école que moi. À l'époque, tandis que moi, j'allais perdre mon temps, faire des mauvais coups, *frencher* les filles, lui, il apportait ses gants de hockey et sa rondelle en acier pour pratiquer son *snap shot* contre le mur une heure de temps. Je peux t'assurer qu'il n'avait pas un don. Tu pouvais peut-être penser qu'il avait un don, mais c'était le résultat de longues heures d'entraînement. Tu me demandes comment je perçois le don ? Quand j'entends ce mot... Depuis plus de trente ans qu'on me le dit, que j'ai un don. Même avant que je gagne à Paris.

Le temps s'arrête un moment et Chartier, qui m'avait un peu oublié, me jette un regard suppliant et dit :

— Ce n'est pas de ça pantoute que tu voulais parler, n'est-ce pas ?

— Non, je n'y avais pas pensé. Je parlais du don comme dans... donner. Mais c'est O.K.

— Tu vas écrire ça dans ton livre, mon salaud, hein ! lance-t-il en riant.

Je suis Blue et, des fois, je pue au nez. Mais pourquoi ne pas le raconter ? Dans les mots de Chartier, il y a une vérité qui en dit long sur ce monde dans lequel nous habitons. Combien sont-ils à penser que le succès et le talent sont donnés à la naissance ? Les deux dépendent, selon même les plus grands, du travail acharné. Sa méprise est délicieuse, comme ses asperges au chocolat.

— Allons prendre un café...

— D'accord, dit le sommelier.

— Pourquoi te mets-tu dans ces états, lorsqu'on te parle de don ? Raconte.

Sacré meilleur sommelier au monde en 1994 au Grand Prix Sopexa, la vie de Chartier change du jour au lendemain. Mais c'est une fête qui lui donnera mal à la tête.

— De retour de Paris, la routine a repris, sauf pour un truc : la communication avec les gens n'était plus la même. J'étais invité dans les médias, et je n'avais jamais été aussi doué auparavant. Les gens que je croisais dans la rue, à l'épicerie, au resto où j'étais sommelier, avaient soudainement l'air impressionnés. Ce n'était plus les échanges simples et amicaux à propos de la bouffe et du vin, c'était pour se faire photographier avec moi. Parce qu'ils m'avaient vu à la télévision, ils me mettaient sur un piédestal. La discussion sur les vins, les cépages... il n'y en avait plus. Tenez, prenez, buvez...

Sans jeu de mots, c'est un véritable travail de moine qu'a accompli Chartier pour réussir : des années de formation en sommellerie, le nez dans les livres au minimum six heures par jour, des dizaines de milliers de dégustations. Il se filmait afin de documenter ses expériences de dégustation à l'aveugle pour ensuite visionner et décanter les mauvaises habitudes. Puis, à seize heures, il allait exercer son métier de sommelier dans un restaurant, jusqu'à minuit. Une petite heure de lecture avant de rêver et, le lendemain, la routine infernale reprenait.

La voilà, sa recette, vous la vouliez ?

Dix-huit mois après le concours, c'en était fini, pour lui. C'est à ce moment que le Moine s'est enfermé chez lui et a réinventé sa vie.

« J'arrête, s'est-il dit. J'en ai assez. »

— J'ai quitté le bistro et le club de vin que j'avais fondé et j'ai commencé à écrire. C'est là que je suis tombé sur des livres de sciences et de gastronomie qui m'ont permis de découvrir le travail de Ferran Adrià d'El Bulli.

El Bulli, sacré meilleur restaurant au monde pendant des années, est le bébé de Ferran Adrià, chef catalan reconnu comme le fondateur de la cuisine moléculaire. Sans en faire un plat, c'est un dieu culinaire. En le lisant, Chartier constate que la science est en train de transformer la cuisine. Les recherches du grand chef l'interpellent et il y voit un nouveau challenge. Il me l'explique.

— L'avocat est gras, sans acidité ni amertume, mais si tu le passes à l'azote liquide, à moins cent soixante-dix degrés Celsius, il devient acide et amer. Ce qui veut dire que tout ce que tu as appris en harmonie des vins, comme sommelier, ça ne tient plus. Un avocat a changé ma vie... Au même moment, je constate qu'il n'y a aucun livre scientifique sur l'harmonie mets et vins. Pour avancer dans mes réflexions, j'annule tout et je prends une année sabbatique. Je veux vérifier jusqu'où je peux mener ma créativité.

Le Moine transforme son sous-sol de Sainte-Adèle en laboratoire. Outre sa cave à vin, l'espace se remplit d'ouvrages scientifiques, d'ordinateurs, de réfrigérateurs, de brûleurs. Des bouteilles, des fioles, des flacons partout. Un décor futuriste... avec vue sur piscine.

— L'été, les amis venaient se baigner. Eux pataugeaient dehors et moi, je trimais dedans. Ça ne me dérangeait pas, mais pas pantoute. Une saucette le matin, une saucette le soir et, entre les deux, je cherchais, je testais, je reprenais, je goûtais... je lisais tout ce que la science pouvait m'offrir, je surfais sur tous les sites possibles. Je n'étais pas un scientifique, mais je le suis devenu.

— Alors, tu n'as pas un don ? Une bonne fée ne s'est pas penchée sur ton berceau ?

En bon ami, il me sert la vérité, comme s'il m'offrait un vin nature, pas filtré et qui sent un peu la campagne.

— Le don, je n'ai jamais cru à ça. Le don, pour moi, c'est d'avoir eu la chance de trouver ce que j'aime faire. Lorsque tu es dans ta zone de confort, là, tu peux exceller. Tu comprends qu'il faut travailler fort pour faire quelque chose, mais, quand tu travailles, tu n'as pas l'impression de travailler. On dit souvent des gens qui connaissent le succès que cela les change. Je dirais que, la plupart du temps, c'est le regard des autres qui change. C'est comme ça que je l'ai vécu. De mon côté, je ne pense pas avoir changé. Je suis resté François Chartier. Malheureusement, certaines expériences m'ont enlevé mon plaisir d'être sommelier alors que j'aime entrer en contact avec les gens. Est-ce que l'on ne s'invite pas dans le monde de la gastronomie pour communiquer avec des gens ? Je t'ai rencontré et, à cause de ça, on est devenus amis.

Son don, quant à moi, c'est d'avoir une tête de cochon, et je lui dis. Pour la première fois, il me parle de sa mère, Renée Lapointe.

— Elle s'occupait, toute seule, de quatre enfants. Elle a la même tête de cochon. Je tiens cette qualité d'elle.

Même si François pense avoir mal compris ma façon de traiter du don, j'aime bien ce qu'il m'a raconté. Il y en a plusieurs qui sont doués, mais qui n'en font rien. D'eux, on entendra rarement parler. D'autres individus travaillent toute leur vie pour arriver à briller, et ils y arrivent même quand ils ne sont pas doués. Et ensuite, il y a les Chartier : des personnes douées, certes, mais qui travaillent leurs aptitudes et les développent pour créer des harmonies nouvelles. Le don d'avoir un talent et de le cultiver.

Gino,

le don de la virginité (prise 1)

Une des questions que je souhaitais explorer est la sexualité et cette idée que nous avons de la virginité. Est-ce qu'on donne vraiment quelque chose quand on fait l'amour la première fois? Et comment décrire ce qu'est une première fois?

J'ai décidé de poser la question à mon ami Gino, en me disant que, lui, il accepterait de raconter ce qu'il avait vécu et d'expliquer sa perception de la virginité. À mes yeux, personne ne pouvait le faire mieux que lui. Gino est celui qui m'a convaincu, il y a plusieurs années, de le rejoindre dans un bar gai pour l'Underwear Party de la rue Church, à Toronto. Il s'agissait d'un party hebdomadaire où la tenue vestimentaire de rigueur était le slip, sans rien de plus. Pour un mâle hétéro alpha, c'est libérateur d'aller s'amuser quelques heures avec un ami et ses potes quasiment nus. Cette soirée a satisfait ma curiosité concernant la culture bisexuelle et gaie.

Gino est de loin le plus qualifié de mes chums de gars pour me parler de cul et de virginité. Gino est un chorégraphe renommé, un danseur vedette qui a joué dans les plus grandes comédies musicales à travers le monde, notamment *Cats*, *Miss Saigon*, *Beauty and the Beast*, et la liste est longue. Il n'a pas la langue dans sa poche, loin de là. Un peu comme ma tante Ginette, il a le don de faire rire avec ses réparties osées, voire vulgaires selon quelques oreilles prudes.

Il habite une superbe maison dans le quartier historique de Cabbagetown, à Toronto. Il a bon goût et un certain talent pour la décoration. Il collectionne les licornes de porcelaine, son salon est orné de bougies trop précieuses, dit-il, pour être allumées et, dans la chambre à coucher, son lit est recouvert d'une centaine d'oreillers et de coussins. J'exagère sur le nombre, mais c'est assez spectaculaire. Aussi habile en aménagement paysager, il a remporté plus d'un prix pour son jardin.

Il a passé le cap des cinquante ans, mais n'en paraît pas plus de trente-cinq. Toujours danseur professionnel, il peut encore lever la jambe jusqu'à ce que son genou lui frôle le nez. Pas une once de gras ne déforme ses cuisses ciselées. Aucun poil ne dépasse sa tête rasée, aucune parole ne dépasse sa pensée. Gino ne filtre pas ses paroles et parle directement. Lorsque je lui ai demandé, platement, s'il était content de rentrer à la maison après un mois dans la jungle panaméenne, il m'a répondu : « Tellement que j'ai pratiquement fourré mon canapé ! »

Comme il est le conteur le plus imagé que je connaisse, je lui ai demandé :

— Gino, quand tu as fait l'amour pour la première fois, considères-tu que tu as donné ta virginité ?

— Oh, que oui, et pas qu'une seule fois ! m'a-t-il lancé.

Mesdames et messieurs, voici Gino.

La première fois que j'ai donné ma virginité, c'était à Kathy.

J'ai toujours été attiré par les femmes, même encore aujourd'hui, plus de trente ans après ma première relation sexuelle. Kathy était mon genre : de beaux grands yeux, la taille fine, des grosses boules et une peau lisse, parfaite. Nous étudiions la danse à la même école.

J'avais vingt ans et, à cette époque, je n'avais fréquenté que des femmes. Issu d'une famille italienne traditionnelle de Toronto, je dois dire que la norme était qu'un homme ne pouvait être attiré que par les femmes.

Cela faisait quelques semaines que Kathy me courait après. J'étais déjà allé chez elle une fois et le message avait été clair qu'à la prochaine visite... c'en serait fait de ma virginité.

Une semaine plus tard, Kathy m'invite à souper chez elle. Jamais la perspective d'aller manger chez quelqu'un ne m'avait rendu aussi nerveux. Je me doutais de ce qui allait se passer. En prévision de ce grand moment, je ne m'étais pas masturbé depuis plusieurs jours afin que l'excitation soit à son paroxysme. Même si, à cet âge-là, un oreiller me faisait bander, l'idée d'une éjaculation précoce n'était pas un problème.

Elle habitait un appartement typique d'une tour toron- toise. J'ai frappé à sa porte, je suis entré et nous n'avons pas du tout soupé. J'ai à peine eu le temps de remarquer la décoration, car elle me fixait de ses beaux grands yeux. Elle portait une robe de chambre asiatique en soie avec une bordure dentelée. J'ai à peine eu le temps de me dire qu'elle devait aimer l'art chinois – j'avais remarqué, la fois précédente, le jade qu'elle avait disposé un peu partout – que je lui ai sauté dessus et l'ai embrassée, caressée... d'abord dans le hall d'entrée, puis dans la cui- sine et sur le parquet du salon.

Ensuite, gentiment, délicatement, elle s'est relevée, m'a pris la main pour me guider vers son lit, dans la chambre à coucher. J'avais très peur, mais elle a tout fait pour me calmer. Elle m'embrassait tendrement, me susurrait qu'elle me trouvait beau, qu'elle aimait ma peau basanée, que caresser mon corps musclé l'excitait. Elle s'est glissée vers le bas de mon corps et m'a fait une pipe, et là, j'ai commencé à relaxer. Puis elle a grimpé sur moi et s'est mise à me chevaucher.

La pénétration a été exactement comme je l'avais imaginée : mon pénis dans son vagin chaud et humide. Par contre, le mouvement de son os pubien qui frottait sur mon abdomen me faisait mal. Un mélange de plaisir et de douleur, des ooh, des aah et des ouch. J'ai pu me retenir une quinzaine de minutes avant d'éjaculer. Je lui ai demandé de rester bien installée sur moi parce que j'étais certain de pouvoir bander de nouveau en moins de deux minutes.

Pendant toute l'année qui a suivi, nous avons fait l'amour tous les jours. Elle était la seule que mes mains touchaient. Comme dans les films pornographiques, la fréquence et les endroits où nous l'avons fait dépassent l'imagination. Je me souviens qu'une fois je l'ai pénétrée tandis que nous étions penchés sur la commode et que je cherchais comment m'habiller. Mais cette folle chevauchée n'allait pas durer.

Son appétit sexuel a mis fin à nos conversations et son délire orgasmique a mis fin à notre relation. Dès qu'elle jouissait, elle se cramponnait à moi, gémissait, émettait de longs ooh-oooh-oooh... Ses jambes autour de moi, elle me serrait très fort et je ne voyais qu'une image de petit singe agrippé à sa maman. J'aurais pu tomber du lit qu'elle serait restée accrochée à moi. L'expression crispée *de son visage et ses gémissements me faisaient rire. Je ne pouvais m'en empêcher, c'était plus fort que moi. Bien sûr, elle se fâchait et ne comprenait pas ma réaction au cœur de nos moments les plus intimes. J'ai essayé de me concentrer davantage afin de ne plus rire, mais hélas...*

Voilà pour la première fois que Gino a donné sa virginité. Quand j'y pense, j'ai l'impression qu'il a plus reçu que donné cette première fois. Le sait-il ?

Maya,
le don de la gourmandise

À tous les Noëls depuis que je peux m'en souvenir, ma belle grand-maman Maya préparait du sucre à la crème. Si vous n'y avez jamais goûté et que vous avez le bec sucré, vous n'avez tout simplement pas vécu l'apothéose givrée des fêtes canadiennes-françaises.

Elle en faisait une grosse quantité, qu'elle divisait en deux. Sur son comptoir, à Wendover, petit village sur la rivière des Outaouais, on trouvait un Tupperware pour la famille qui venait manger et un autre pour son beau Justin que lui seul allait dévorer. Le défi était d'en garder pour le lendemain.

Heureusement, maman a conservé la recette de Maya, écrite à la main.

Pour commencer, Maya prenait sa casserole et y plaçait :

> 1 tasse de sucre blanc
> 1 ½ tasse de cassonade
> 1 tasse de crème à fouetter
> 4 cuillerées à soupe de sirop de maïs BeeHive

Après avoir bien mélangé, il fallait cuire à feu moyen en brassant souvent. « Environ vingt minutes de cuisson ou jusqu'à boules molles dans l'eau froide », selon son calepin.

Maya retirait la casserole du feu et y ajoutait :

> 1 cuillerée à thé de vanille
> 1 tasse de noix brisées

Rendue là, elle brassait un bon moment, jusqu'à ce que le sucre à la crème devienne épais, puis elle transvidait le tout dans un moule beurré. Il ne restait qu'à découper de beaux carrés avant que le mélange ne devienne trop dur.

L'épreuve consistait à se bourrer sans se rendre malade. Surtout quand, au préalable, on avait mangé du ragoût de pattes de cochon, des pointes de tourtière, de la dinde et de fantastiques patates pilées. Il fallait bien calculer son affaire.

La plus belle recette de grand-mère dans l'histoire du monde, la voilà. Considérez ça comme un don que je vous fais.

Danielle,
le don redéfini

Tous les jours, quand je bossais en politique au cabinet de mon très honorable patron, je recevais, vers six heures du matin, les coupures de journaux. Quand on travaille pour le premier ministre du Canada, la première chose à faire au lever est de lire ce qu'on en dit dans les médias. Rare qu'en prenant mon café noir j'apprenne quelque chose de nouveau de cette lecture. Disons qu'en politique l'histoire se répète. De temps à autre, un article nous saute aux yeux. Celui dont je vais vous parler ici a changé ma perception de la philanthropie. On racontait, en moins de quatre cent cinquante mots, que Warren Buffett venait d'octroyer quelques milliards de dollars à un regroupement d'organismes caritatifs. Tout un don!

Ce qui m'a frappé de cette nouvelle n'est pas la générosité ni la richesse du donateur et encore moins sa capacité remarquable à donner autant d'argent. Non. C'est plutôt le simple fait que la bonne action de Warren n'aura aucune influence sur ma façon de vivre ma vie.

Par contre, cela m'a donné des idées: j'allais fonder un mouvement que j'appellerais Toi-Moi ou Me-We dans la langue moins parlée ici. L'objectif était de fournir aux personnes qui ne disposent pas d'économies suffisantes pour faire la charité la possibilité de concrétiser leur altruisme par des gestes, de l'aide et du soutien aux gens dans le besoin. Je me disais que ça changerait des comportements usuels. Mon projet n'a pas vu le jour, car les frères Kielburger ont lancé ME to WE à peu près au même moment. Comme j'avais mes dossiers politiques et économiques à gérer, ce n'est pas plus mal que cela ne se soit pas réalisé. Depuis, j'ai essayé à moult reprises de recycler mon concept.

À l'époque où j'étais publicitaire, entre 2005 et 2013, je devais concevoir un projet de fondation. Je voulais créer le Me-We-Tee, un t-shirt emblématique qui serait porté par une douzaine de personnes de renom. Le pitch était le suivant: vous portez le t-shirt en faisant une activité de bienfaisance sans avoir à débourser d'argent. Dans ma tête, Bono allait donner un peu de temps à quelques enfants pour leur montrer à chanter et Mandela allait leur lire un conte de fées. Cette idée non plus n'a pas survécu, car la mission de la fondation avait du mal à se définir et le stratège créatif n'a pas su comment la réorienter.

Ne vous en faites pas, c'est une idée à plusieurs vies (et c'est la seule fois que je n'ai pas éternué à côté d'un chat).

Quelques années plus tard, j'ai tenté de la récupérer en lançant une chorale virtuelle sur YouTube : des gens chanteraient ensemble pour sauver le monde, mais le projet est tombé sur des durs d'oreille.

À la fin, cela a fonctionné… ou presque. J'ai coécrit un livre paru au Canada anglais intitulé *Weology: How Everybody Wins When We Comes Before Me*. À l'origine, le sujet du livre tournait autour du don, mais finalement le livre a obtenu du succès parce qu'il racontait l'histoire d'un banquier qui sait comment s'adresser à la génération Y. On est passé du don de soi à la gestion du *big business*, ce qui est un peu triste, pour vous dire la vérité. Une belle inspiration qui a accouché d'un bâtard, sur le tard.

Heureusement pour moi, mon amie Lucie a lu *Weology* et, quand elle a su que j'écrivais maintenant un livre sur le don, elle m'a tout de suite suggéré ceci : « Je connais une femme épatante qui enseigne la philanthropie à HEC Montréal. Aimerais-tu la rencontrer ? »

Je n'allais pas m'en priver et, quelques jours plus tard, j'ai fait la connaissance de Danielle au café San Simeon. Je suis à peine assis qu'elle commence d'aplomb :

— Pour moi, le don incarne le chemin de la vie entre le moment où tu nais – et tu ne nais que pour prendre – et celui où tu meurs, où tu es obligé de tout donner. Le jour de ta mort, tu te débarrasses de ton corps et de tous tes avoirs. Tu donnes tout, cent pour cent. Le jour où tu nais, tu commences à prendre à cent pour cent. Tu demandes à manger, tu veux boire. L'air t'appartient. Le chemin de la vie est entre ces pôles. Tu apprends à donner à l'individu comme à la collectivité.

— Danielle, que prends-tu dans ton café ?

— Mon métier en philanthropie est d'offrir des occasions de dons collectifs. La philanthropie est là pour enrichir la collectivité, permettant, par exemple, à chaque humain de pleinement jouer son rôle dans la société. On fait ça en renforçant les filets sociaux et en diminuant les écarts entre les classes, ce qui crée de la paix sociale et plus de richesse. Il existe aussi des dons qui enrichissent des individus, physiquement et spirituellement, et qui donnent un sens à leur vie. Chacun d'entre nous travaille pour cette même finalité. Quand tu donnes aux autres, tu t'enrichis, toi. Tu partages, c'est ce qui est noble. Mais, pour donner, il faut posséder.

Danielle profite de mon silence pour se poser elle-même une question : « Est-ce que la philanthropie, c'est moins généreux que la charité ? »

— L'Église dit : « Donne-moi une partie de ta richesse, tu te sentiras un bon chrétien et moi, je vais m'occuper des pauvres. » C'est ça, la charité traditionnelle. Dans ce cas, le donateur s'achète une bonne conscience. Il va se sentir moins coupable de faire de l'argent et, en suivant les dogmes de sa religion, il aura l'impression de gagner son ciel. Il aura fait sa part, tandis que d'autres que lui s'occuperont des moins nantis. On a longtemps associé la générosité à cette forme de don. Eh bien, moi, je dis que ça, c'est fini. C'est encore valable pour les soixante-dix ans et plus. Pour un jeune de vingt ou trente ans, le sacrifice, le devoir moral, acheter son ciel, ça ne lui dit rien. Ils veulent apporter leur contribution au sein de leur communauté. C'est cette forme d'investissement qu'ils envisagent. Ils veulent s'assurer que leur don va changer les choses telles que l'itinérance, la faim et l'accès à l'eau potable, pour n'en nommer que trois. La philanthropie évolue vers ce modèle-là.

Je me prépare à réagir parce que son propos soulève des questions sur mes propres croyances. Mais avant que je puisse y arriver – Danielle doit savoir que j'apprécie les personnes bien préparées –, elle poursuit avec sa propre interrogation :

— Le don qui prend la forme d'un investissement pécuniaire est-il moins charitable que celui qui prend la forme de temps ? se demande-t-elle. La question est bonne et la réponse courte est « non ».

Dans le retour sur investissement, il y a une volonté d'enrichissement collectif, tandis que la charité, comme on l'a connue traditionnellement, a souvent pour objectif d'améliorer l'opinion que l'on a de soi ou, au moins, de faire taire notre sentiment de culpabilité. La notion du don pur qui ne te rapporte rien, je n'y crois pas. Notre conscience fait la différence.

La mission de Danielle est d'aider les organismes de bienfaisance à revoir leur canal traditionnel et à migrer vers un nouveau genre de philanthropie. Elle ne veut plus défendre l'achat d'un scanner à trois cent mille dollars ou une campagne de financement quelconque. Selon de récentes études et les données qui s'accumulent, et, surtout, l'intuition de ceux qui travaillent dans ce milieu, cela n'a plus d'effet. Pour une fois, c'est l'humain qui remplace l'argent.

La meilleure façon de survivre, pour un organisme de bienfaisance, est de mettre de la chair sur un être humain et son histoire. C'est la philanthropie à l'ère du *storytelling*. Le scanner, son logiciel, la technologie ne sont plus qu'accessoires.

C'est comique, mais ça me fait penser à une de mes idées qui a échoué. Une université voulait recueillir dix millions de dollars auprès des mieux nantis de la société. J'avais eu une idée simple : créons une « bourse du don ».

Les riches connaissent le fonctionnement de la Bourse : tu y places ton argent et, habituellement, tu bénéficies d'un retour sur ton investissement. Avec les très riches, il faut renouveler le discours et les motiver à autre chose que ce qu'ils connaissent : un autre souper-bénéfice insipide, par exemple. Comment remplacer le saumon trop cuit par des sujets de discussion créatifs et enthousiasmants ?

Donc, la « bourse du don » fonctionnerait comme ceci : des scientifiques, des chercheurs aux idées novatrices passeraient devant un comité composé de riches investisseurs, en plus de femmes et d'hommes d'affaires, et défendraient leur projet pendant cinq minutes. Vous croyez en la faisabilité du projet, vous adhérez à l'orientation des chercheurs, vous avez été sensibilisé à la maladie qui fait l'objet de la recherche ? De cette façon, les ultrariches peuvent investir et être associés à la découverte d'un nouveau traitement médical, à l'avancement scientifique ou à la résolution d'un problème social. L'organisme qui porterait le projet retenu garantirait que cinquante pour cent des dollars seraient destinés au projet qu'a préféré le richissime financier. Les cinquante pour cent restants seraient répartis entre les projets tout aussi importants mais moins attirants. Tout le monde y gagne : les chercheurs sont financés et les donateurs ont une belle histoire qui les honore à promouvoir. Si, si, vous avez compris : ils deviennent aussi porte-parole.

Mais ça n'a pas marché. Le client voulait des idées totalement nouvelles, mais déjà testées ! (Si vous vous dites que c'est un raisonnement *non sequitur*, c'est que vous avez appris le latin.) Pourtant, des histoires de chercheurs se battant contre des maladies auraient dû convaincre, mais je suis prêt à admettre que j'étais quelques années en avance sur mon temps.

Danielle me dit que c'est le genre de programme qui, justement, fonctionnerait bien aujourd'hui parce qu'il est basé sur un modèle de *storytelling* émotif. De plus, elle explique comment le retour sur investissement ne va pas dans les poches d'un particulier, mais plutôt dans celles de tout le monde. Pas une structure identique à celle de la bourse du don à laquelle j'avais pensé, mais des fondations vouées à reconnaître les bonnes actions des donateurs. Danielle enchaîne sur Ex æquo en m'annonçant que je vais aimer.

L'organisme à but non lucratif prône l'égalité pour tous par l'inclusion sociale des personnes handicapées. Danielle explique comment ses membres parviennent à mobiliser les partenaires et à créer des ponts entre les individus subissant l'exclusion et les gestionnaires du domaine privé et du domaine public. Ils défendent, par exemple, l'accessibilité universelle pour les personnes ayant une déficience motrice. Ils aident ainsi les handicapés à se prendre en main. Ceux-ci regagnent leur estime de soi, redeviennent des citoyens à part entière et contribuent à faire avancer la société.

Ensuite, elle me raconte l'histoire de Fabrice Vil et de son organisme Pour 3 Points.

— C'est le modèle parfait à suivre lorsqu'on veut amener des jeunes à s'engager dans une cause. Fabrice, ajoute-t-elle, a mobilisé une communauté entière.

Je connais Fabrice depuis des années. Je me souviens d'une conversation où il attendait de moi que je lui montre la voie la plus stratégique pour sa fondation. Il cherchait une façon d'attirer l'attention sur ses objectifs. Je lui ai répété la même leçon qu'on m'a enseignée le tout premier jour de mes études de journalisme : quand un chien mord un homme, ce n'est pas une nouvelle. Mais quand un homme mord un chien, ça, c'est de la nouvelle.

Cette vieille leçon, Fabrice s'en souvient, et je parie qu'il doit la répéter aux jeunes à qui il transmet passion, enseignement et encouragement afin de prévenir le décrochage scolaire. Avocat de formation, il est devenu un entrepreneur social pour donner un sens à sa vie. Il a trouvé sa vocation en formant de jeunes coachs sportifs pour qu'ils deviennent coachs de vie. C'est simple comme c'est bon.

Je suis curieux de savoir ce que Danielle pense d'un article que j'ai lu qui laisse entendre que ce ne sont pas les individus dans la collectivité qui vont changer le monde, mais bien un groupuscule de gens riches et puissants sur lesquels tous les espoirs sont fondés.

— C'est terrible. Moi qui aime aller là où il y a de la lumière... Si tu essaies de travailler dans la grande noirceur, tu n'as pas de contrôle. S'en remettre aux actions d'autres personnes plutôt qu'à ses propres actions, c'est juste se dédouaner par rapport à ce que tu ne peux pas faire. Où sont les zones de lumière, où est-ce que moi, je peux agir ? Je refuse de me concentrer sur ces zones où je ne peux avoir d'influence. On ne parle pas de faire de la politique, car le pouvoir n'est plus là. Ce que Justin Trudeau ou Philippe Couillard peuvent changer sur la planète est minuscule. Le pouvoir est ailleurs, maintenant.

— Où est-il dorénavant ?

— C'est certain qu'il est entre les mains de quelques multinationales qui possèdent presque tout. Mais, un instant, le pouvoir, je le détiens aussi entre mes mains et j'en fais bon usage au quotidien. Même notre discussion m'incite à changer des choses.

Elle poursuit en fournissant des exemples :

— Je ne sais pas avec exactitude où mes REER sont investis, mais je suis encore bien contente qu'ils produisent huit pour cent par année. Ça devrait représenter une forme de pouvoir. C'est comme dire « Acheter, c'est voter, investir son argent, c'est choisir ». Si, du jour au lendemain, tous les gens qui ont de l'argent s'assuraient qu'il travaille dans leurs propres valeurs, ça changerait significativement le monde. Plus on est nombreux à exercer le pouvoir consciemment, tout doucement, plus ça crée une spirale d'amélioration. Et le don du sourire. Le don de reconnaître que toi, tu existes. Je ne passerai jamais à côté de quelqu'un sans essayer d'établir un contact. Je suis persuadée que chaque rencontre contribue à améliorer ma vie et, par ricochet, celle de la personne que je croise. Cela n'a rien à voir avec mon travail. J'essaie de sortir des sentiers battus.

Ici, Danielle réalise qu'elle tire dans toutes les directions. Elle est tombée dans son propre piège en se posant elle-même les questions. Je devine qu'elle avait un plan avant de me rencontrer, un genre d'ordre du jour pour bonnes gens. Elle s'est aventurée sur un chemin de campagne et son GPS l'a larguée. Comme toute bonne porte-parole, elle retombe sur ses pattes.

— Nous parlions de la philanthropie, dit-elle.

Avocate dans le milieu de la philanthropie, Danielle ne se plaisait plus à écrire des lettres de sollicitation. Dans ses responsabilités, elle pouvait aussi bien organiser un bal qu'alimenter le photocopieur. Elle défendait de grosses sociétés ou devait les aider dans un domaine auquel elle ne croyait plus. C'est ce qui l'a amenée à réfléchir au rôle de la philanthropie. Elle ne pouvait plus s'attendre à ce que la société civile et le marché financier s'occupent des laissés-pour-compte de l'État. Depuis, elle accompagne les fondations qui ne se sont jamais questionnées sur leur raison d'être. Elle provoque la discussion entre les administrateurs et les donateurs, qui doivent réévaluer la mission de l'organisme s'ils veulent avoir de l'influence.

— Pourquoi tu fais ça ?

— J'aime à penser que je contribue à la réflexion vers le changement. C'est très personnel. Tout est à redéfinir... La philanthropie ne sert pas à enrichir quelqu'un. Tu ne paies pas les actionnaires. Tu essaies d'enrichir la plus grande collectivité possible. C'est cool. Nous sommes entourés de gens qui, tranquillement, forment un mouvement de transformation sociale vers un plus grand partage. Il y a moins d'exclusion et plus d'inclusion, c'est prometteur. Quand ceux qui pensent de la même façon vont se reconnaître, je pense qu'ils vont être très puissants, forts de la certitude qu'un changement est possible.

On ne parle plus d'un petit dollar à la fois qu'on oublie ou non d'offrir la veille du jour de l'An, mais bien de redéfinition du don.

Horace,
le don héroïque

J'ai vu au cinéma, cette semaine, des spectateurs qui se posent la même question que moi. Si jamais la guerre éclate, est-ce que j'aurai le courage et l'audace de lever la main, de crier « volontaire » ? Le cran d'aller me battre pour défendre mon prochain ? C'est un point d'interrogation que je retournais déjà petit garçon. Si c'est la même chose pour une petite fille, vous me le direz. Sachez : il y a de la place pour tout le monde et tous les genres dans mon armée (sauf, bien sûr, les t. d. c.). Il suffit de visiter un Toys "R" Us pour constater que les jouets de guerre occupent un grand

espace. Est-ce que donner un jouet militaire à un enfant lui enseigne que la guerre est un jeu? Rappelez-
moi d'acheter à mon fils Léo une autre poupée.

Dans la salle obscure, en avalant ma dernière bouchée
de réglisse, j'ai détourné mon regard du grand écran et
observé discrètement les visages autour de moi. Les
images du film devaient être un supplice si je me fie
aux expressions sur les visages. À ma gauche, le monsieur moustachu se rongeait les ongles. À ma droite,
chaque coup de canon provoquait un soubresaut chez
mon voisin. Je préférais mille fois épier les gens dans
la salle plutôt que d'enregistrer dans ma mémoire ces
images violentes. À la sortie du cinéma, le regard loin-
tain de mon ami Rick en disait long sur l'effet que les
scènes de combat avaient eu sur lui.

L'écriture de ce livre est un bon prétexte pour essayer
de comprendre ce qu'un soldat donne en rejoignant les
rangs des forces armées. Appelons cela une opération
mi-littéraire.

Un ami nous a présentés, il y a quelques années, et,
depuis, Horace est entré dans ma vie. C'est un véritable
héros. Soldat décoré, il sait ce que veut dire faire face à
l'ennemi. Je vous en parle ici, mais vous ne pourrez lire
le détail de ses exploits dans aucun livre, car son travail
et les missions qui lui sont confiées le forcent à demeurer dans l'anonymat. Même l'exploit pour lequel le
gouverneur général a épinglé une médaille à sa poitrine, je n'ai pas le droit de vous en révéler le détail.

L'homme dont je vous parle est un stratège militaire. Armé de son savoir, il réfléchit, planifie et accomplit. Rasé et habillé discrètement, il se fond dans le paysage. Sa personnalité passe-partout lui permet de se faufiler là où il le souhaite.

Quand je lui demande sur quoi il travaille, il me répond comme s'il était dans une pièce d'Ionesco :

— Avant, j'exécutais les ordres de la bonne façon. À présent, c'est moi qui définis la bonne façon de faire exécuter les ordres.

Je comprends que, maintenant, il commande les opérations que jadis il exécutait. Mais je n'en apprends pas davantage. Si j'insiste, il tourne la conversation à la blague.

Il me parle des trois D et de leur importance militaire.

— Déni, déni, déni ? que je risque.

— Non, tata. Dérèglement, destruction et ensuite déni.

— Vraiment ? Tu blagues ?

— Ben oui. Il s'agit de défense, diplomatie et développement.

— Bon, un militaire avec un sens de l'humour un peu yankee.

Je cherche à comprendre le don que fait un combattant à sa patrie. Et, dans son cas, un don fait dans l'ombre puisque les hauts faits de sa carrière doivent demeurer secrets. Je vais commencer par expliquer le début de son engagement patriotique.

Horace s'est joint à l'armée à l'âge de seize ans, dans la région de Montréal. Ce serait un moyen d'économiser et de financer ses études universitaires, se disait-il, et l'occasion de s'amuser à faire des exercices avec des carabines. Il frôlait la barre du un mètre soixante-huit et, à l'époque, effleurait les soixante-deux kilos.

— Dans ma carrière, les portes se sont ouvertes naturellement, sans que j'aie vraiment à le planifier. Lorsque j'ai passé le cap des cinq ans dans l'armée, j'ai réalisé le changement philosophique qui s'était opéré dans ma vie. Je suis persuadé que l'armée n'est pas faite pour tout le monde. À ce moment-là, je me suis demandé si j'étais obligé d'y rester parce que moi je faisais bien ce travail.

La vraie question n'est pas pourquoi il s'est joint à l'armée, mais bien pourquoi il y est demeuré plus de vingt ans.

— Tout ce que je peux te répondre est que j'ai réussi à satisfaire ceux qui détiennent le commandement. Dans l'armée, l'engagement doit être total. Il faut accepter un mode de vie différent fait de dévouement et d'abnégation. Tu fais le serment sur l'honneur de servir et, comme l'ingénieur qui porte une bague à l'auriculaire pour lui rappeler le coût de l'échec, tu constates que la marge d'erreur est mince. Le défi est permanent.

Imaginez que vous êtes la femme d'Horace ou que c'est votre papa. Samedi matin, le téléphone sonne et il doit soudainement aller travailler. Le soir, il ne rentre pas à la maison. Il n'y aura pas de bisous ni de « À bientôt, ma chérie ». Deux semaines, quatre mois plus tard, comme ça, à l'heure du souper, il revient, s'assoit à table et il ne pourra pas discuter d'où il vient, de ce qu'il a vu ou de ce qu'il a fait.

L'expression en anglais, qui n'a pas d'ami français, malgré toutes mes recherches, c'est « aller *downrange* », c'est-à-dire se diriger vers une zone de guerre. Pour établir notre amitié et notre complicité, j'ai demandé à Horace qu'il me dise dorénavant qu'il est en voyage au Texas chaque fois qu'il part sans donner d'explications. Ainsi, je ne poserai pas trop de questions. Je me retiens difficilement. Il n'y a qu'un con qui pose à un militaire celle qui suit, notez-le :

— Est-ce que tous les militaires ont tué ?

— Ce n'est qu'une mauvaise perception de notre rôle, dit-il.

Durant mes conversations avec les participants à ce livre, plusieurs se sont dits choqués du traitement que les médias font de leur domaine respectif. C'est aussi le cas d'Horace, qui considère comme un affront la couverture médiatique de tout événement qui se produit au sein de l'armée.

— On traite le conflit en Afghanistan de tuerie. Des innocents sont morts, mais il y avait aussi de très mauvaises personnes, qui ont été neutralisées. En dix ans, quel journaliste s'est donné la peine de compter le nombre de petites filles qui prennent maintenant le chemin de l'école? Quand avez-vous entendu parler du nombre de personnes sauvées de la décapitation, du viol ou de la mort? Ou bien du nombre de bébés qui ont survécu grâce à l'accès à l'eau potable? C'est enrageant de voir les médias désinformer la population en cachant certains faits pour mieux exploiter les histoires scabreuses.

Horace ne prend pas la défense uniquement des soldats en poste. L'Afghanistan profite du travail des employés des agences gouvernementales, de l'Agence canadienne de développement international (ACDI), par exemple. Horace ajoute:

— Ils sont sur place parce qu'ils veulent un monde meilleur pour tous. Ces personnes sont isolées et loin de leur famille. Et elles se font aussi tirer dessus!

Dans sa vie active en tant que soldat, Horace s'est fait piéger plus d'une douzaine de fois: des assauts avec des fusils, des armes légères, de petits calibres comme des AK-47, des dispositifs explosifs artisanaux, des bombardements. Il me convainc que c'est la nature humaine qui crée la violence et non pas la formation que reçoit un militaire.

— L'anxiété et la peur ne font leur apparition qu'après le combat, dit-il. Tu t'assois, tu respires une ou deux fois profondément, tu sacres un bon coup, puis seulement à ce moment-là tu réalises l'intensité de ce que tu viens de vivre.

— Tu n'as pas peur au moment fort de l'affrontement?

— Dans l'action, l'adrénaline et la concentration priment. Tu ne peux pas vraiment penser à quoi que ce soit d'autre. Ça servirait à quoi de s'inquiéter à ce moment-là? Je peux sortir de la maison et me faire heurter par un bus. Non, s'inquiéter, c'est comme se bercer: tu bouges, mais t'avances pas. Je juge donc que faire partie des forces armées est du pur altruisme. Certes, il y a des cons et des fous qui y sont pour l'adrénaline et les gros fusils, mais ils sont beaucoup moins nombreux que vous ne le pensez. Pour ma part, je n'arrive pas à imaginer faire autre chose de ma vie. Je travaille avec des êtres d'exception qui sont exactement là où ils doivent être pour servir.

— C'est bizarre de penser que tu serais prêt à donner ton dernier souffle.

— Plus tu as de l'avancement dans l'armée, plus ce sentiment d'engagement profond évolue. Tu mesures mieux le pourquoi de tes actions. Les Canadiens ne savent vraiment rien de notre travail. En vérité, ils ont plusieurs raisons d'être inquiets. La menace est plus réelle que ce que les autorités admettent.

— Dis-moi alors quel don nous fait le soldat canadien?

— Il est prêt à accomplir ce que le Canadien moyen ne peut pas faire lui-même. Imagine une policière qui répond à un appel de détresse ou un pompier qui arrive sur les lieux d'un incendie. Tu ne sais pas ce que tu vas voir, subir et ressentir et ce qu'il restera de l'expérience... en présumant que tu vas t'en sortir. C'est cette volonté de courir vers le chaos qui nous différencie d'un autre individu. Il faut que l'un d'entre nous prenne des risques en se mettant au service d'une cause. Mieux vaut que ce soit moi qui en aie les aptitudes. Ceux qui se dédient à cette profession ne le voient pas comme un don, mais bien comme une obligation.

— Ça te donne quoi?

— On ne s'engage pas dans l'armée pour recevoir quoi que ce soit en retour. La satisfaction vient du fait que tu accomplis un boulot que peu de personnes sont capables de faire. Et c'est ça la beauté de notre démocratie : nous sommes prêts à nous battre pour défendre ton droit de vivre libre et en sécurité, protéger la démocratie, la liberté de s'exprimer même si tu es en désaccord avec nos actions. Tu comprends pourquoi je refuse de me faire juger par un individu qui ne comprend pas ma réalité.

Une de ses plus grandes frustrations des dernières années est d'avoir à répondre aux questions des combattants d'autres pays qui veulent savoir pourquoi le gouvernement canadien a accordé des millions à Omar Khadr.

— À titre de militaire, as-tu ressenti de la frustration de savoir qu'Omar Khadr allait recevoir plusieurs millions de dollars du gouvernement canadien?

— Tu parles d'un individu qui, influencé par une philosophie de haine totale, veut anéantir tous les représentants et les symboles de notre civilisation. Tout cela parce qu'il interprète les diktats de sa religion. J'ai visité plusieurs des trous du cul de ce monde et, parfois, leur religion n'a apporté que la mort et la misère. Donc, récompenser un individu qui s'est fait endoctriner et qui a menacé la tranquillité de ma famille, je n'accepte pas.

— Oui, mais on le défend parce qu'il a un passeport canadien ? Ça ne veut rien dire ?

— Ce n'est pas parce qu'on t'a donné la citoyenneté que tu peux abuser des privilèges qu'elle confère.

Un des plus beaux dons qu'il a eus est facile à se rappeler et se renouvelle chaque fois qu'il arrive au Centre de réception du Canada. Des militaires et leurs proches se réunissent dans un aéroport spécialisé pour y accueillir les soldats qui rentrent d'une mission.

— Tu rentres au pays et il y a un sentiment de fraternité inégalable, dit-il. Même celui avec qui tu as uniquement une relation professionnelle, il te fait un câlin et il te serre la main chaleureusement. Rebienvenue au Canada, te dit-on. Ça représente tout...

La dernière question que je lui ai posée concerne cette décoration, la Médaille du service méritoire, qui lui a été décernée.

— Je préfère que ça demeure anonyme, m'a dit ce héros.

Cet homme fréquente et surmonte mes pires peurs. Sans rien me demander en retour, il me donne son amitié et une poignée de main solide et rassurante.

Léa,

le don d'un enfant

Je viens de quitter le fauteuil de Jean-Marc, un expert en thérapie cognitive. Ça fait des années que je le vois, quelques semaines à la fois. Je suis un des chanceux : mes troubles d'anxiété ne se manifestent que de temps en temps, comme une grippe annuelle. Il m'aide à retrouver le chemin du bonheur en m'amenant à comprendre que les malheurs qui me hantent sont vraisemblablement faux. Je dois m'infliger un choc électrique en me rappelant que ma vie n'est pas toujours un film d'action. Ce n'est que mon cerveau qui a créé un réseau réactif et négatif, voire nerveux, que ma réalité doit briser.

C'est simple à gérer, même si ce n'est jamais facile à... intégrer.

Du fauteuil de Jean-Marc, je passe à une chaise de restaurant de mon quartier. C'est le troisième vendredi du mois, donc je vais luncher avec mon amie Léa. Il n'y a pas si longtemps que nous nous sommes rencontrés, mais nous nous connaissons depuis toute la vie. C'est comme ça, parfois, quand on rencontre des gens exquis.

Léa ne va pas bien, par contre, et ça se voit. Avant même que je ne puisse lui demander pourquoi, elle lance la discussion :

— J'ai quelque chose à te raconter, quelque chose de difficile à dire.

Et là, alors que moi, je viens de me convaincre que le monde est beau et que je dois cesser d'imaginer qu'un destin terrible s'acharnera sur nous, elle me foudroie avec ce qui arrive à sa famille. Quand Oli, son fils, est né, en 2009, on leur a dit qu'il allait mourir avant de devenir grand. Il était affligé d'une maladie qui touche un enfant sur trois cent cinquante mille.

J'ai du mal à croire au hasard qui fait que cette amie est assise devant moi, aujourd'hui entre toutes les journées. Après une matinée consacrée à l'interprétation d'idées irréalistes qui surgissent malgré moi dans mon cerveau, je suis perplexe. Comment se fait-il qu'elle ait reçu une nouvelle si abominable, mais si réelle, et que moi, je m'inquiète de tout et de rien malgré le bonheur qui me poursuit partout ?

« Fais ce que Jean-Marc t'a recommandé et garde ton esprit vissé sur les faits. Pense à Léa et à Oli. »

Voici le résumé de sa mésaventure.

Son petit garçon est né trois semaines à l'avance avec une malformation ano-rectale, l'anus imperforé. Son intestin se déversait partout sauf à l'endroit où il devait. Pour un nouveau-né, c'est une question de vie ou de mort. Il a vite été transporté dans une grande bulle en verre à un hôpital spécialisé. Le petit n'était pas O.K.

Sa vie a commencé avec une colostomie, mais je vous épargne l'image de cette intervention. Ce n'est, d'ailleurs, que le début d'une série d'opérations. Il avait aussi une hypoplasie du pouce, un rein atrophié et un radius un peu trop court. Mais, après quelques chirurgies, rien ne le distinguait des autres petits garçons.

Compte tenu de ses malformations congénitales, l'hôpital a procédé à des tests génétiques. Une infime probabilité le mettait candidat à une maladie rare.

Un mois plus tard, c'était le début de la fin. La généticienne a communiqué avec Léa pour lui annoncer ceci : « Les résultats sont arrivés et c'est très sérieux. Je ne suis pas là aujourd'hui, mais il faudra se voir demain. »

— Mon cœur s'est arrêté, explique Léa. « Non, lui a-t-elle répondu, on s'en vient tout de suite à l'hôpital et, si on ne vous voit pas vous, on parlera à quelqu'un d'autre. »

Oli souffrait de l'anémie de Fanconi.

— On est arrivés à l'hôpital et ils nous avaient imprimé de la documentation, une trentaine de pages. L'enfant naît avec un risque, à quatre-vingt-dix pour cent, que la maladie évolue… vers la leucémie. Il faut s'attendre à des cancers, à des tumeurs agressives à la tête, dans le cou, les oreilles. Il y a des infections répétées et, quand il y a quelque chose qui s'installe et qui ressemble à un cancer, ça démarre fort. J'avais juste envie de leur dire : « Prenez-le. » Je ne voulais plus rien savoir du projet d'avoir des enfants. Pendant plusieurs semaines, j'étais comme morte. Je ne mangeais plus. Le futur n'existait plus. Il n'y avait que la mort.

Même après avoir appris la nouvelle à sa famille et à ses proches, elle s'est sentie seule, envahie par la tristesse.

— Nous étions trois enfants à la maison. Nous avons grandi heureux : nous avions tout, l'amour, la joie et les jeux. J'ai eu l'enfance que tous voudraient avoir. À l'âge adulte, tu veux reproduire le modèle, mais ce n'est pas toujours faisable. Maman a réussi professionnellement. Papa aussi, contre vents et marées, il a eu du succès. Comment je fais pour reproduire ça ? Je n'ai rien réussi du tout. C'est un échec lamentable.

Ça ne s'arrête pas ici, pas encore.

Quelques mois plus tard, l'hôpital téléphone de nouveau à la maison et une voix neutre la prévient : « Nous ne pouvons déterminer le type d'anémie de votre garçon.

Si vous avez d'autres enfants avec votre mari, le risque est de un sur quatre que le bébé naisse avec la maladie. »

— Mon mari et moi cumulons les deuils. Malgré tout, je veux une famille. Je n'arrive pas à me faire à l'idée d'élever un seul enfant que je vais enterrer et qu'il ne nous restera plus rien après. Pas moi. Nous décidons d'entreprendre un programme d'insémination artificielle avec donneur, mais c'est un échec total. Après plusieurs mois sans résultat, on me suggère une intervention chirurgicale. Il fallait couper mon septum, un mur dans l'utérus. Je l'ai fait. Cela n'a pas fonctionné et le temps des possibilités a passé. Je parcours à la course quarante kilomètres par semaine et, sur mon trajet, je croise deux salons funéraires. Il n'y a pas une journée où je n'ai pas enterré mon enfant. Mille fois, j'y ai pensé.

Les journées de Léa étaient accaparées par le travail et ses nuits n'étaient plus qu'un long calvaire. Elle se réveillait pour pleurer cet enfant qu'elle avait maintenant et qu'elle n'aurait plus un jour prochain. Oli mangeait, riait, jouait et pétait. Il ne présentait aucun symptôme d'une quelconque maladie. C'était un petit garçon comme les autres, mais Léa ne le voyait pas, ça.

— La plupart du temps, je tenais le coup, mais après un moment je n'y arrivais plus. Lorsque j'étais seule, souvent, je pleurais.

Le 8 février 2017, sa vie a basculé de nouveau. Une généticienne qui consulte un livre de protocole différent annonce à Léa et à son conjoint qu'Oli n'est en fait pas atteint de l'anémie de Fanconi. C'est confirmé, promis, juré, craché.

— Le premier sentiment, quand on reçoit la nouvelle, est un mélange de bonheur et de grand vertige. Ça s'estompe rapidement pour se transformer en émotions partagées. Les idées sombres qui m'habitaient font place aux regrets : « Ma famille n'aurait pas l'air de ça si... Mon mari et moi aurions pu avoir d'autres enfants et fonder la famille que nous désirions. » Pour te raisonner, tu te dis que t'es pas différente des autres et que les gens ont aussi leurs défis.

Entre deux gorgées d'un délicieux vin orange, elle enchaîne :

— Tu vis des moments grisants, puis soudainement, tu es pris de panique. Je compare cela à la prison. Tu y es enfermé pendant sept ans, puis, un jour, un avocat doué tombe sur ton cas et parvient à te faire sortir de ton trou. Évidemment que tu es content, mais, bizarrement, même si tout a l'air parfait, rien de tout ça ne l'est. Ta vision de la vie a été marquée par une grave erreur, par une malheureuse erreur. Comment fais-tu pour retrouver un peu de plaisir, de légèreté et d'insouciance ?

Ça fait quelques semaines que Léa a vu sa vie changer, mais je constate qu'elle traverse encore une période difficile d'acceptation. Elle se demande ce qui leur est arrivé.

— Ce que l'on a vécu est incomparable. Grosso modo, quelqu'un a prononcé une condamnation : ton fils va être très malade, puis il va mourir. Il ne va pas juste disparaître, il va d'abord souffrir. Donc, tu élèves quelqu'un qui n'a pas d'avenir. Maintenant que je sais qu'il va vivre, je découvre des choses dont on se privait avant. Je nous projette dans le futur, quand Oli deviendra adulte, qu'il aura une blonde, qu'il sera amoureux, qu'il partira de la maison, qu'il entreprendra un métier. Juste de l'imaginer dans une université, c'est indescriptible la joie que cela me procure. Avant, j'interdisais à mes pensées d'aller là. Tu restes dans le moment présent, ce qui n'est peut-être pas si mauvais non plus. Je commence à faire des projets d'avenir pour lui, pour nous.

— Qu'est-ce que l'annulation du diagnostic t'a donné ?

— Honnêtement, je suis encore plus fâchée, plus frustrée. Bien sûr que je remercie la vie de ce revirement de situation et je suis contente que mon garçon soit correct. Mais je n'arrive pas à chasser l'idée que, s'il était né à Sainte-Justine ou dans un grand hôpital pour enfants, nous parlerions aujourd'hui de tout autre chose. Les tests et les analyses ont été faits dans d'autres hôpitaux et les circonstances sont telles que leur protocole a déterminé trois fois une maladie qui n'existait pas chez mon enfant.

— Comment survis-tu à cette malheureuse expérience ?

— La seule explication que j'ai pour toi, c'est que les êtres humains sont faits pour survivre. Qu'est-ce qui est pire, que ton chum meure dans un accident de moto, que ta femme perde son bébé ou que tes parents se fassent assassiner dans la rue? Je crois que l'on a été doté d'une résistance à la hauteur de ce que l'on doit encaisser dans une vie.

J'ai du culot de lui poser ces questions. Notre petit garçon, à Lynda et à moi, a passé une semaine aux soins intensifs à sa naissance et j'arrive encore difficilement à en parler. J'ai des images dans la tête qu'aucun mot ne peut décrire.

Le deuxième plus grand soulagement dans tout cela est celui-ci: le moment était venu de parler à Oli, qui avait sept ans, de sa maladie. Il commençait à se demander pourquoi il devait se rendre à l'hôpital tous les trois mois, donner du sang et se retrouver parmi des enfants très malades.

— L'hôpital en question, les médecins se sont excusés, au moins?

— Es-tu fou, toi? Non, mais non. Ils ne font pas ça. D'un point de vue légal, cela les met dans une situation précaire.

— Psychologiquement, comment gères-tu cela?

— Je ne sais plus si on m'a enlevé ou donné quelque chose. La vie m'a donné un enfant – elle a donné des enfants à la plupart des couples – et après, une monumentale erreur m'a enlevé l'espoir de voir grandir mon enfant. Maintenant que cela m'a été redonné, j'essaie de donner du sens à ce que j'ai vécu et je sais que je vais réussir. L'enfant n'est pas mort. Moi non plus, je ne suis pas morte. Mais, doux Jésus, quel temps perdu! Sept ans d'inquiétude et d'anniversaires tristes. Voir mon garçon croître sans savoir combien de temps il lui restait, j'ai réussi à « faire du sens » avec cette épée de Damoclès au-dessus de sa tête. Je suis convaincue que je vais y parvenir aussi maintenant que la vie continue. Je vais trouver la réponse. Mais là, là...

— Comme mère, tu as reçu le plus beau don : la vie de ton enfant.

— J'ai donné la vie à mon fils. Et ce qui m'a été redonné, un enfant en santé, est ce qui est normal. Dans mon cas, on ne m'a pas fait un don, ce n'était qu'un mirage.

Là, c'est le temps de retourner voir Jean-Marc et de lui en parler.

Shannon,
le don endurci

En préparant la liste des sujets qu'il serait intéressant d'aborder dans ce livre, j'avais décidé de ne pas vous parler d'organismes à but non lucratif. Pourtant, cela aurait été facile de réunir une flopée de récits simplement en faisant le tour de la multitude de fondations et d'organismes de bienfaisance aux vocations infinies. Mais je n'aurais pas su discerner les bons exemples des mauvais. Ce n'est pas que ces œuvres charitables ne méritent pas mon attention ou la vôtre, c'est que j'étais à la recherche de récits inattendus, voire osés, d'exemples dont on ne discute pas nécessairement dans nos salons. Le don du cul de Gino, pour moi, était manifestement un incontournable.

Mais le destin s'arrange toujours pour vous détourner de vos résolutions. Un soir, à Miami, à l'événement de lancement de la toute première course hippique Pegasus World Cup, je suis au milieu de gens jouissant de ce que l'on appellerait une vie confortable (j'étais l'intrus, à mon insu, l'élément discordant). Cocktail à la main, Shannon et moi, nous nous sommes aperçus alors que nous nous rapprochions l'un de l'autre. Arrivée sur moi, elle m'a donné une accolade cordiale. Après cette embrassade chaleureuse, il ne restait plus qu'à nous présenter l'un à l'autre.

C'est ce que j'appelle une bonne introduction.

J'ai appris, en l'espace de quelques gorgées, que Shannon est la patronne d'une fondation qui vient en aide aux anciens combattants. Dans son lexique, il existe deux types d'anciens combattants : les soldats qui ont connu les guerres de tranchées et les joueurs de football qui livrent des combats et que l'on regarde à la télé tous les dimanches. Je ne pouvais qu'être interpellé par sa classification, mais ce qui m'a frappé, ce n'est pas la vocation de l'organisme qu'elle dirige, mais plutôt son approche du don.

— Je crois que travailler dans ce domaine m'a transformée en une personne endurcie, m'avoue-t-elle.

— Ah bon ! Ça, il faudra me l'expliquer.

— J'étais tellement naïve quand j'ai commencé à bosser dans ce milieu. Je pensais qu'une personne qui disait vouloir aider le voulait réellement. Quand elle affirmait qu'elle le faisait pour les bonnes raisons, j'y croyais. Je ne me doutais pas qu'un être humain pouvait tirer avantage d'une personne en difficulté ou chercher un bénéfice au détriment d'un organisme comme le mien et réussir à lui faire du tort.

Maintenant, quand un nouveau venu dit agir par générosité, le regard sceptique de Shannon scanne l'individu afin de détecter des machinations. Elle passe une grande partie de ses journées à essayer de percer les intentions de futurs partenaires, d'éventuels commanditaires, des équipes médicales ou simplement des bénévoles. Elle se méfie même des œuvres caritatives. Tous font naître en elle les mêmes doutes sur leurs réels intérêts pour la mission de son organisme. Elle leur demande d'être transparents et de lui expliquer ce que représente pour eux ce don.

— Je me suis fait avoir, personnellement et professionnellement, à plusieurs reprises, explique-t-elle. Lorsque j'ai découvert que certains individus profitent des personnes vulnérables, cela m'a ouvert les yeux sur une situation déplorable. Plusieurs personnes se présentent pour aider dans le seul but de rencontrer une personnalité connue du domaine sportif. Elles veulent profiter de sa notoriété pour promouvoir et vendre leurs produits. Dans certains cas, elles veulent seulement pouvoir dire qu'elles l'ont rencontrée.

Shannon a bossé dans la gestion d'équipes de sport professionnel la majeure partie de sa carrière. Après quelques années auprès de l'équipe de basketball des Bulls de Chicago, une attirance particulière pour le travail de philanthropie l'a fait changer de ballon. Elle se souvient très bien de la première occasion où elle a senti qu'elle devait modifier son parcours.

— C'était un lundi. J'ai aperçu par hasard une ancienne star de la Ligue nationale de football américain qui vivait dans sa voiture. J'en ai été estomaquée. Pendant des années, on l'avait vu au match du dimanche à la télé. Ce colosse avait tout perdu. Il s'était éloigné de sa famille et vivait seul, isolé, sous un pont. D'après ce que je sais, sa famille en ressentait beaucoup de culpabilité. Je n'ai pu faire autrement que de chercher à comprendre comment un joueur vedette comme lui avait pu en arriver à vivre dans sa bagnole sous un pont. À cette époque, on ne connaissait pas la gravité des lésions cérébrales traumatiques chez les joueurs de football. Très peu de gens avaient même entendu ces trois mots. Pas longtemps après, j'ai appris qu'un autre sportif connu vivait dans un espace de rangement. Ça m'a choquée. Totalemement.

Shannon a été interpellée par ces deux cas et ceux qu'elle a découverts par la suite. C'est ce qui l'a décidée à réorienter sa vie professionnelle. Elle est chez Gridiron Greats Charity depuis sa fondation. *Gridiron* fait référence au terrain de football américain. Pour le reste de la raison sociale, vous le savez déjà, j'en suis certain.

La mission première de l'organisme était de plaider en faveur des athlètes retraités pour améliorer leurs conditions de vie, leur offrir des programmes de soutien et les accompagner dans l'après-carrière sportive. Rapidement, à la vitesse d'un Walter Payton portant le ballon, la mission a changé de direction.

— La constatation des dommages que subissent ces athlètes et leur famille a complètement changé la liste de nos services d'assistance, me dit-elle.

Son organisme investit dans des études et des programmes médicaux pour mieux comprendre les séquelles laissées par des lésions cérébrales et l'ensemble des problèmes de santé mentale qu'elles engendrent. Le résultat des recherches permet de mieux défendre et soutenir les anciens joueurs et leur famille.

Les anciens joueurs de football se faisaient traiter au même hôpital que les vétérans de l'armée américaine. En discutant avec les professionnels du corps médical et les soldats, Shannon et ses collègues ont découvert que les vétérans militaires comme les joueurs de football n'ont pas l'habitude de se confier à leurs pairs.

— Un joueur blessé ne voudra pas que ses coéquipiers perdent leur concentration sur le match et sur leur propre performance. Alors qu'ils cachent leur souffrance à leurs coéquipiers, on remarque qu'ils acceptent plus facilement d'en parler à des vétérans qu'ils voient comme des héros. De leur côté, les vétérans des forces armées nous disent qu'ils ne veulent pas demander à un autre combattant de leur raconter les horreurs qu'il a vues et ce à quoi il a survécu. Par contre, ils s'ouvrent plus facilement avec les joueurs qu'ils rencontrent. C'est une nouvelle sorte de camaraderie qui s'est établie entre ces deux groupes.

Voilà une belle démonstration du nouveau savoir. Le croisement de disciplines éloignées apporte beaucoup plus d'effets positifs chez les joueurs ayant subi des traumatismes crâniens que n'importe lequel des traitements prescrits auparavant.

Je profite de ce texte pour me repentir et vous parler de quelqu'un que je connais depuis plusieurs décennies et que je n'ai jamais aimé. À l'âge de douze ans, je suis devenu un partisan des Packers de Green Bay. Ce n'était pas leurs meilleures années, mais j'étais fasciné par leur fabuleux passé et surtout par Ray Nitschke, l'ancien numéro 66 qui terrorisait ses adversaires et peut-être même ses propres coéquipiers. Le plus grand rival de mon équipe a toujours été le club des Bears de Chicago. Je détestais un de ses plus fameux entraîneurs, un dénommé Mike Ditka. Non, je ne l'aimais pas, celui-là. Mais, depuis que Shannon m'a raconté ce qu'elle sait de lui, j'ai juré de lui accorder sa juste place dans ces pages. C'est bien la preuve que la vraie vie ne se joue pas sur un terrain de football américain. Même si les dimanches la réalité est tout autre lorsque Léo et moi nous crions : « *Go Pack Go !* »

— Mike Ditka est un grand, dit Shannon. Oui, il jappe encore quand il est à la télévision, il a une stature qui en impose quand il se promène avec sa démarche reconnaissable. Et oui, il grogne un peu en regardant l'assistance dans les gradins, mais tout ça, il le fait parce qu'il a le sens du spectacle. C'est notre donateur le plus généreux et le plus humble, car il ne veut pas que ce soit connu. Il ne nous dit jamais « non ». C'est dommage, les gens n'ont aucune idée du genre de personne qu'il est. C'est le plus grand philanthrope que j'ai connu et je travaille dans ce domaine depuis des décennies.

Voilà, coach Ditka, j'ai exprimé mon repentir. Ne dites pas à mes amis du Wisconsin que j'ai écrit cela, s'il vous plaît.

Shannon est maintenant directrice d'un autre organisme qui s'appelle After the Impact. Elle ne s'occupe plus uniquement des anciens joueurs de football, mais aussi des anciens combattants. Ce qui différencie son organisme est que les familles sont incluses dans le processus.

En discutant avec Shannon, je me suis rappelé une mission qui m'avait été confiée dans le domaine de la santé mentale. À l'époque, au début du siècle, la dépression et la schizophrénie étaient encore des sujets tabous. Mon rôle au sein de l'Institut des neurosciences, de la santé mentale et des toxicomanies (INSMT) était de favoriser un dialogue portant sur la santé mentale, puisqu'un des remèdes primordiaux dans ce domaine est, justement, la communication. Mon équipe et moi cherchions des façons de vulgariser les découvertes des grands chercheurs afin que les Canadiennes et les Canadiens puissent comprendre les enjeux en maladie mentale.

J'avais invité un producteur de télé à luncher dans le but de le convaincre de consacrer une émission à la maladie mentale afin de lancer le dialogue avec les personnes qui en souffraient. L'émission aurait pour thème la mode et ce qui y est relié : la boulimie, l'anxiété, la toxicomanie... Mais, en l'espace de quelques minutes seulement, il m'avait raconté deux blagues plates sur les « malades mentaux ». J'ai laissé tomber l'objectif de notre rencontre et lui ai poliment demandé de me parler de sa vie – un sujet qui, je le savais, l'intéresserait davantage. Je me suis dit que j'allais mâchouiller ce qu'il y avait dans mon assiette tandis qu'il parlerait, et qu'ensuite je pourrais partir. À quelques bouchées de la fin de ma faim, j'ai appris que son papa était gravement malade et que ses traitements de dialyse avaient changé sa vie.

— Et comment va la maman dans tout ça ?

— Oh, elle est totalement épuisée. Elle doit s'occuper de lui jour et nuit, ce qui fait qu'elle dort mal et qu'elle a perdu du poids. Elle semble beaucoup plus nerveuse. En fait, elle dit qu'elle ne va pas bien du tout, qu'elle n'est plus heureuse.

— Veille sur elle. On appelle ça une dépression ce qu'elle vit, une maladie mentale. C'est de cela que je voulais te parler aujourd'hui.

Malheureusement, le lunch s'est terminé avant que le dessert ne soit servi. Au lieu d'en discuter, il s'est renfermé sur lui-même à ce sujet et s'est rouvert sur l'univers de la guenille.

Shannon avait deviné la fin de mon histoire avant que je n'y arrive. Ce genre de réaction fait partie de ses journées.

— Les familles sont laissées sur la ligne de touche, dit-elle. On regarde les membres d'une famille comme des aidants naturels avant de les considérer comme de vraies personnes. La réalité est qu'ils sont la colle qui garde les morceaux bien en place. Dans mon métier, si tu ne t'occupes pas de toute la famille, ce ne sera pas le même succès. C'est prouvé.

Les grands changements ne surviennent qu'en se parlant. Même quand la vie durcit notre carapace, il y a en dessous un être sensible que seules les bonnes questions peuvent déceler. C'est en communiquant que l'on vainc l'indifférence et l'abus. Ce sont des individus comme Shannon et ce sacré Ditka qui nous le démontrent, qu'ils veuillent ou non qu'on le sache.

Gino,

le don de la virginité (prise 2)

La deuxième fois que j'ai donné ma virginité, c'était à Dan.

J'étais vraiment intrigué par le monde gai et son mode de vie. J'avais découvert que j'étais bien plus à l'aise dans les bars gais. De mon point de vue, l'ambiance me semblait plus vraie, plus naturelle. Après ma séparation d'avec Kathy, j'avais essayé de rencontrer d'autres femmes. En même temps, j'avais commencé à fréquenter les bars de la rue Church, dans le quartier gai. Mes rencontres restaient platoniques et mes conversations, banales. Je n'étais pas du genre à embrasser un type dès la première rencontre et il ne se passait pas grand-chose dans ma vie sexuelle.

Cette situation a très vite changé. J'étais avec des amis chez Maloney's. Un gars me fixait du regard. Je me souviens très clairement de m'être senti presque déshabillé par sa façon de me regarder. Puis, je l'ai vu s'approcher et il m'a dit : « Comme tu es beau. »

Sa déclaration m'a fait battre des paupières et, tous les deux, les yeux dans les yeux, nous avons éclaté de rire. Il était adorable et j'ai accepté de le revoir. Je suis allé chez Dan à plusieurs reprises. Une journée qui n'annonçait rien de particulier, sous un ciel pas plus étoilé qu'à l'habitude, j'ai décidé de faire le saut.

Dan vivait avec son père, gai lui aussi, dans un très grand condo. Je me souviens du couloir où les portes s'alignaient à n'en plus finir. Quand nous sommes arrivés, un soir très tard, son père dormait déjà. Nous nous sommes dirigés vers sa chambre, puis vers son lit. Il a éteint les lumières et nous nous sommes allongés. Nous ne voulions pas dormir ni l'un ni l'autre.

Nous avons commencé par nous embrasser. J'ai vite constaté qu'il était très bien membré. Il s'est dévêtu et j'ai pu voir son pénis. Comme il était beau ! J'aimais sa forme et sa couleur et je voulais y goûter. Je venais de commencer à le sucer quand il m'a retenu.

— Est-ce que tu veux baiser ? m'a-t-il demandé.

— Oui, je veux.

Il s'est lubrifié l'anus et, doucement, je me suis glissé en lui. C'était plus serré qu'un vagin. J'ai compris qu'il était expérimenté, car il savait exactement ce qu'il fallait me dire pour m'exciter. J'avais de nouveau l'impression de me retrouver dans un film pornographique, une aventure gaie cette fois. L'expression de son visage était en accord avec chacune de mes poussées et ses gémissements étaient synchronisés aux miens.

Je suis venu, oh, mon Dieu! à quatre reprises. À mon souvenir, c'est la seule fois de ma vie, avec un homme ou une femme, que nos orgasmes ont été simultanés.

Il était beau et nos corps étaient beaux. Après avoir fait l'amour, nous aimions rester tout simplement allongés sur son lit. Il a souvent voulu m'enculer, mais je n'étais pas intéressé. Chaque fois que j'ai eu envie de lui, ses jambes s'ouvraient à mon sexe. Notre amour était chaud, tellement torride. Mais notre relation n'aura duré que quelques saisons.

Voilà pour la deuxième fois que Gino a donné sa virginité. Qui a le plus donné, qui a le plus reçu?

Jean-Pierre,
le don de la
bénédiction

Mon père, Jean-Pierre Kingsley, et moi avons un souvenir familial bien collé dans le creux de notre mémoire, mais tout de même bien différent. Mon souvenir d'un événement particulier est proche, vivant et en couleurs, tandis que, pour mon père, c'est dans une époque lointaine et en noir et blanc. Je me demande, en l'écoutant ne pas se rappeler la scène, si je n'ai pas tout rêvé. Je vous expliquerai en un peu plus de mille mots, mais, pour le moment, j'aborde le sujet avec une image qui le fait voyager.

— Je souhaiterais que tu m'expliques, papa, ce que représentait le don de la bénédiction paternelle.

Et comme ça, tandis que mon fils Léo gamine tel un garçon de trois ans – bruyamment – et que maman Suzanne cuisine par là-bas, pas loin de Lynda qui lit, papa et moi nous transportons dans son album familial.

— C'était une tradition canadienne-française, qu'il me dit. Ça se passait le jour de l'An. L'aîné, entouré de la maman et de tous les enfants, demandait au père de bénir la famille. Puis, quand on allait chez les grands-parents, c'était l'aîné des enfants qui demandait la bénédiction au grand-papa. Dans le temps, le premier de l'An, on visitait les deux familles. Cette tradition est morte à peu près en même temps que la Révolution tranquille a tout chambardé. Les Canadiens français ont commencé à se rebeller contre l'autorité de l'Église.

Dans le temps, le clan des Kingsley habitait rue Botelier, dans la basse ville d'Ottawa, le quartier des ouvriers, des pauvres et des immigrants. Les têtes carrées vont vous dire que c'est Boteler et non Botelier, mais ne les croyez pas.

À cette époque, la maison d'un bon Canadien français était compartimentée. Il y avait deux sortes d'endroits : ceux où tu avais le droit d'aller et ceux qui étaient interdits. Il n'y avait pas de place pour l'erreur. Si le canapé était recouvert de plastique, ton fessier ne s'y déposait pas, sauf en visite, et même là... Dans la maison d'Oscar et de Françoise, personne de la famille immédiate ne mangeait dans la salle à manger, on prenait ses repas dans la cuisine. Le salon aussi était juste pour les invités. Papa se souvient bien que les meubles « propres », rembourrés et parfois couverts de cellulose, devaient le rester. Le tapis était rouge foncé. La salle à manger, juste à côté, était meublée d'un bel ensemble confectionné par mon grand-père Oscar, qui comptait l'ébénisterie comme un de ses nombreux métiers. Il était aussi contremaître, électricien, et j'en oublie. C'était ça, la vie, dans le temps, pour un Canadien français de la basse ville d'Ottawa. Chaque chambre à coucher était occupée par deux ou trois enfants. S'ils étaient serrés dans l'espace, il y avait beaucoup de place dans le placard pour ranger l'unique ou les deux chemises, propres, mais usées.

Imaginez un petit garçon, le 1er janvier, s'agenouiller pour demander à Oscar le don de la bénédiction paternelle.

— Ça me gênait un peu de le demander. Je n'ai jamais compris pourquoi cela m'intimidait à ce point. En vieillissant, j'ai réalisé qu'on avait perdu un symbole important. Pôpa se servait d'une formule comme le faisait le prêtre : « Je vous bénis au nom du Père et du Fils et du Saint-Esprit. » C'est peut-être pour son caractère trop religieux que cette tradition me mettait un peu mal à l'aise. J'ai servi la messe et je saisissais bien le sens de tout ça. La bénédiction paternelle revêtait plusieurs aspects : religieux, familial et social. Il s'agissait du rôle de la famille, des membres entre eux et dans la communauté. Je me demande à quelle époque les familles ont arrêté de perpétuer la tradition. Finalement, c'est dommage. La bénédiction s'est donnée chez nous jusqu'à mes dix ans à peu près. Finalement, c'est disparu, mais je ne pourrais pas te dire pourquoi.

— Tu ne te souviens pas d'un événement un peu plus... récent?

— Non, tu parles de quoi?

Il y a une image que j'ai de gravée dans l'hippocampe, mais il semble que je suis le seul dans ma famille à la posséder. Un souvenir qui coïnciderait avec le dernier jour de l'An que mon grand-père Oscar allait vivre. Depuis quelques années, sa tête, lentement, s'était dégradée. Dans les mois qui ont suivi la mort de grand-maman Françoise, que mon grand-père appelait affectueusement Frank, son esprit a commencé à s'égarer.

— Il n'avait plus la pleine conscience du temps, explique Jean-Pierre. Je lui disais « maman est morte », puis, une demi-heure après, il la cherchait. « Où est-ce qu'elle est, Frank? »

Je me demande s'il se souvenait des billets de cinq dollars qu'il offrait au petit Justin après les avoir froissés dans sa main. Ou bien de ce fameux « tédébère », terme rooseveltien qu'il utilisait affectueusement, comme dans : « Eh, mon tédébère, viens voir ton grand-papa. » Ça fait si longtemps de ça...

Plusieurs années se sont écoulées, mais j'ai toujours ce vif souvenir d'une dernière bénédiction paternelle. C'est plus qu'une illusion, la bobine tourne et les images défilent : nous sommes dans le salon chez grand-papa et grand-maman, une ribambelle de petits-enfants entourent Oscar, quand Jean-Pierre entre dans la pièce. Devant la scène, il voit une occasion unique, réclame le calme et se dirige vers son pôpa. C'est à cet instant que le visage et surtout les yeux bleus, perçants, de grand-papa Oscar redeviennent ceux que j'avais connus pendant si longtemps. Puis, mon père prononce la phrase :

— Papa, au nom de la famille, je demande ta bénédiction paternelle.

Oscar s'est redressé les épaules et le nez. Sa colonne droite comme un soldat, c'est au loin qu'il a regardé. Jean-Pierre s'est agenouillé – la seule fois de ma vie que je l'ai vu ainsi – et nous l'avons imité. La main levée au-dessus de sa famille, Oscar a proclamé d'une voix claire et puissante : « Je vous bénis au nom du Père et du Fils et du Saint-Esprit. »

Pourquoi je me souviens si bien de ça ? Parce que, dans ma tête, c'est un de ses derniers moments de lucidité. Un don paternel d'une grande dignité. Mais quand je demande à Jean-Pierre ou à Suzanne, à mes sœurs Michèle et Marie-France, je me retrouve seul à m'en souvenir.

— Je n'en ai pas souvenance, admet Jean-Pierre. Je ne m'en souviens pas pantoute.

— Ce jour-là, quand tu lui as demandé, tu as été le premier à genoux. Grand-papa s'est ranimé et s'est tenu droit comme je ne l'avais pas vu depuis longtemps. Un ultime moment de fierté.

— D'une certaine façon, ce que tu me racontes ne me surprend pas, mais si cela s'est produit, l'événement t'a marqué plus que moi et, dans ce cas-là, c'est important, conclut papa.

Et encore une fois, papa a raison.

Dieudonné,
le don d'un prénom

Maman veut savoir : « Dieudonné, mais d'où vient ce nom ? »

D'origine latine, Dieudonné veut dire « don de Dieu ». Selon les dictionnaires des prénoms, il serait porté par des êtres sensibles qui n'aiment pas nécessairement le montrer. D'un ouvrage à l'autre, on n'est pas au bout des contradictions : les personnes de ce nom sont soit démonstratives avec une grande soif de reconnaissance et d'admiration, soit des êtres totalement discrets et effacés. Mais tous s'entendent pour dire que les Dieudonné sont souvent aux commandes. Google les voit ainsi :

« Ils peuvent paraître arrogants, égocentriques et colériques. » Pour parfaire le portrait, ils sont plus à l'aise en groupe que seuls.

On les fête le 19 juin. Les noms dérivés sont Dié, Déodate, Déodat et Adéodat. Aussi bien s'appeler Désuétude.

Le plus ancien des Dieudonné que j'ai pu trouver était cordonnier à Rome en l'an 500. Il vivait à côté du futur pape saint Grégoire le Grand. Il s'est illustré par sa générosité. À la fin de chaque semaine, il donnait aux pauvres tout ce qu'il avait économisé. Un premier philanthrope !

Un des plus célèbres à avoir été baptisé Dieudonné est Louis XIV. Jusqu'en 2013, son berceau figurait sur le logo du club de foot Paris Saint-Germain. (Allez Lyon !)

À répertorier les Dieudonné connus, je trouve des monarques, dont Henri IV, des aviateurs de la première heure, des auteurs, des artistes et même un humoriste, pour ne pas dire un polémiste.

Comme nom de famille, Dieudonné occupe le 1484e rang chez nos cousins français. Parmi les personnes connues qui ont porté le patronyme Dieudonné, on trouve Adolph, Adrien, Albert, Alfred, Jacques, Robert et Nicolas Joseph.

Il existe une commune en France dénommée Dieudonné. En 1250, elle était désignée comme Deudonis Villa. Au tournant du XXe siècle, les vignes et la fabrication de boutons en poils de mouton occupaient les paysans. De nos jours, sur les huit cent vingt-neuf habitants, je doute qu'un seul ait «Dieudonné» inscrit sur son baptistaire, mais sait-on jamais...

Si vous envisagez de prénommer votre petite bombe à retardement Dieudonné, ou avant de donner un nom comme Thelonious, Baudile ou Polycarpe à votre héritier, pensez que c'est un don pour la vie. Ou bien simplifiez son existence avec un bon vieux prénom tel que Justin ou Justine...

Maman approuve.

Rachel,
le don amer

C'est un avion qui n'est pas encore équipé du wi-fi, Dieu merci. J'aurai la paix pendant trois heures et demie, et je pourrai composer ce discours que, demain matin, je dois chanter. Une fois mon siège trouvé, je m'assois et inspire un brin d'air recyclé. À mes côtés, une dame est déjà bien installée. Avec son doux regard, elle me fait penser, en bon fils à maman, à toutes ces femmes que j'ai tant et toujours admirées.

— Bonjour, madame, dis-je. Je m'appelle Justin.

— Bonjour, monsieur, me répond-elle. Moi, c'est Rachel, comme la rue à Montréal.

Dans mon cerveau, ça chante, pour une raison que j'ignore : « Rachel comme la rue, on lui marche dessus. »

Ce refrain, je ne le lui chante pas. Plutôt, j'y vais avec ceci :

— Ça me fait plaisir de vous connaître, Rachel.

Et, comme ça, je tourne la tête pour me plier à mon ordre du jour : un verre d'eau pétillante et ce fameux discours à préparer. Mais Rachel est toujours là. Elle me parle de ci et de ça, et je me sens soudainement comme un poisson qui a croqué dans l'appât en lui adressant ce bonjour tout souriant.

On me rétorquera que j'aurais pu lui dire : « Maintenant je vais dormir. » Mais j'en suis incapable. Un fils à maman bien élevé ne fait pas ça.

Donc, nous jasons. Et je me demande quand, ou plutôt si, je pourrai travailler sur cette allocution qui m'attend. Mais je sens, même si nous n'avons pas encore décollé, que c'est avec Rachel que je vais voyager. Le hasard a ses propres lois et moi, curieux, j'ai le don d'écouter et de tomber pile sur la bonne question, de temps à autre. Sachez qu'un bon journaliste trouve ses meilleures interrogations dans les mots que vous venez tout juste de prononcer. Enfin, la plupart du temps.

— Que faites-vous, Rachel ?

— J'ai mon emploi et mon bénévolat.

Le fils à maman sent qu'il vient de frapper dans le mille.

— Ah bon? Parlez-moi de votre bénévolat. Quand est-ce que tout a commencé?

La valve est ouverte et sa soupape de sûreté, déclenchée. Le magnétophone tourne sur lui-même, aussi.

Le bénévolat a débuté quand son premier mari était à l'hôpital. L'assassinat de son compagnon, sa mort lente, très lente, cet affreux moment de sa vie, elle préfère l'oublier. Ce dont elle se souvient, c'est le *doctor* du Royal Vic qui, constatant que Rachel est bilingue, lui prend la main et la promène d'un lit à l'autre pour qu'elle aide à traduire les maux et les douleurs des patients qui avaient mal juste en français. Elle est devenue l'interprète du chirurgien.

Nous décollons, mais je n'ai pas le répit de mes quatre respirations, un truc zen pour ceux qui pensent que chaque envolée pourrait devenir un film de Bruce Willis. Cette dame a toute mon attention, que je le veuille ou non.

J'apprendrai que Rachel devait étudier pour devenir infirmière, mais que son nom est resté figé sur une liste d'attente, à trois places de la sélection. Au lieu de cela, elle a étudié les langues, l'allemand et l'espagnol. Elle a réussi parce qu'elle est plus têtue que douée. Elle gagnait sa vie en travaillant pour une compagnie aérienne et son ciel en donnant de son temps. Au fil des ans, elle a constamment donné : pour les femmes battues, les cancéreux, les bambins, les cadets de l'air, les guides, dans les hôpitaux, les bibliothèques et au hockey.

En détaillant son histoire, elle me raconte ce qu'elle a appris de l'humain en faisant du bénévolat : la sagesse. Elle m'explique que les grands malades reviennent à leur langue maternelle quand ils sont souffrants, qu'on doit tout répéter à un enfant et que les malades peuvent parfois communiquer avec les yeux ou même par un tout petit mouvement de la main. C'est auprès d'eux qu'elle a appris à écouter et à se taire. C'est un peu comme à la maison où il n'y a plus que le chaton qui lui répond !

— J'ai des grandes et longues conversations avec le chat, dit-elle en riant (ou était-ce en ronronnant ?). Les autres ne me répondent plus, donc il m'arrive de me taire, ajoute-t-elle toujours en riant.

Mais pas aujourd'hui. Je me demande d'ailleurs si elle s'arrêtera bientôt. La réponse, vous l'avez déjà devinée... tandis que la consigne des ceintures est allumée, et le voyage ne fait que commencer. Je me demande à quoi on peut s'attendre, ce qu'on reçoit quand on donne comme cela. J'ai l'impression que cette douce dame aurait aimé un peu plus de reconnaissance. Qu'elle a tout fait et tout donné pour un karma qui ne lui revient toujours pas.

En 1976, son mari s'est fait tirer dessus avec un revolver, mais de cela elle ne veut pas parler. La même année, pendant les Jeux olympiques, elle s'est absentée une seule fois de son chevet, le temps d'une demi-journée, pour aller voir Nadia être parfaite.

Après qu'elle s'est remariée, son don de temps a commencé. D'abord, à la maternelle, ensuite avec les enfants brûlés, ou était-ce l'école primaire et ensuite le hockey? Allumettes et leucémie, enfants purs et mondes fermés, Rachel se rappelle les malades qui l'ont le plus marquée. Des enfants atteints de mongolisme, d'autisme, de nanisme, et des mamans malheureuses qui souvent portent injustement le blâme. À l'hôpital, elle a vu des enfants monstres ou des grands naïfs au corps parfait, entendu des histoires de viols commis par des infirmiers et discuté de la grande question de la stérilisation et du débat avec l'Église catholique. La liste des événements dont elle se souvient dans les moindres détails est longue...

Quel vol étonnant! Depuis seize minutes vingt-deux secondes, Rachel me raconte ses péripéties. Finalement, j'ai une question à lui poser, plus qu'une d'ailleurs. Commençons.

— Qu'est-ce que ça vous donne, de donner?

— Chaque fois qu'il m'est arrivé un coup dur dans la vie, et je pourrais écrire un livre là-dessus, je faisais du bénévolat auprès de personnes qui avaient encore moins de chance que moi. Quand vous réalisez que, malgré vos problèmes, c'est vous qui venez en aide, ça remonte le moral.

C'est de cette façon, m'explique-t-elle, qu'elle a pu éviter moult dépressions. Quand l'aînée de ses deux filles a eu trois ans et demi, Rachel, elle, a commencé à donner du temps, deux fois par semaine, à la garderie. C'est là, me dit-elle, que les abus ont commencé. Parce que, selon ma nouvelle amie, plus on donne, moins les gens l'apprécient.

— C'est très ingrat, le bénévolat. Plus vous vous impliquez, plus vous êtes tenue pour acquise – dans tout type de bénévolat... Celle qui est toujours présente quand on a besoin, qui arrive les mains pleines et qui offre à ses propres frais tout ce qui est nécessaire pour faciliter la tâche, eh bien, celle-là, elle n'est pas souvent reconnue pour sa contribution.

Attention, Rachel n'a pas fini. Restez bien assis.

— Plus vous faites de bénévolat, plus les gens s'attendent à ce que vous en fassiez. Et plus vous êtes aimable et coopérative, plus ils s'attendent à ce que tout soit déjà organisé et prêt. Tandis qu'une autre peut offrir quatre heures au cours d'une année, le jour d'un spectacle d'enfants, par exemple, et là tout le monde est à quatre pattes devant sa grande générosité.

Malgré cette hargne qui lui maquille le front, elle allait quand même accomplir ses bonnes actions – une fillette pendue à la main et l'autre suçant le sein – sous le regard des mères qui ne faisaient rien. Avec ses filles qui grandissaient, ce fut le tour des guides pendant huit ans.

— C'est avec les guides que j'ai appris que les parents les plus exigeants sont ceux qui s'impliquent le moins.

Puis, ce fut le foot, avec des chevilles tordues qu'aucun autre parent ne voulait soigner. Elle me raconte un papa, sur la ligne de touche, qui, malgré son enfant blessé, garde le nez dans son livre.

— Le côté négatif du bénévolat, c'est qu'on profite de vous et, financièrement, ça demande beaucoup aussi. Je connais des gens pour qui j'ai fait du bénévolat et qui pourraient m'acheter cinq fois. Eux, ils l'ont prise, leur retraite, mais moi, côté économies, je vis au jour le jour.

En l'espace de quelques semaines, elle a réinventé l'organisation des campagnes de financement et la comptabilité de la vente de biscuits des guides, et les rentrées d'argent ont quintuplé. Son sous-sol fut un labyrinthe que j'aurais sûrement dévoré, moi qui aime presque tous les biscuits. Il y a eu les camps d'été et les cadets de l'air, la bibliothèque, le mercredi, pour réparer *Tintin*, *Astérix* et *Le Petit Prince*.

Déjà, après quelques années, elle réalise qu'on ne remarque plus le temps qu'elle offre bénévolement. Et c'est à partir de ce moment que l'amertume semble le plus se manifester, malheureusement, chez cette belle dame généreuse.

Suivra tout de même le récit de spectacles annuels dans les sous-sols d'église, de sorties parascolaires, de gâteaux achetés dans une pâtisserie. Jusqu'à la blessure ultime : une avocate, une « maître » quelconque, qui, à son unique apparition, occupe le devant de la scène, supplantant celle qui donne vingt heures par semaine. Elle se verra chaudement applaudie par la salle, tandis que Rachel, qui donne, et qui donne, et qui donne encore, demeurera derrière le rideau, ne faisant même pas partie du décor.

La raconter ici est comme vous décrire une plaie qui vient de s'ouvrir, vous dessiner un membre ensanglanté. Vous devez voir l'image d'une personne meurtrie et pas près de la cicatrisation.

— Quand on donne, on ne s'attend pas à être remercié. Je déteste aller sur une scène ; je ne cherche pas à être en avant, je n'aime pas ça. Mais que l'on accorde le mérite à quelqu'un d'autre m'a choquée.

Ah, la turbulence est finie. La consigne des ceintures est éteinte, je vais aller faire pipi.

De retour à mon siège. En ce moment, Rachel lit. Soudainement, elle dépose son livre doucement et m'explique qu'elle pensait en avoir fini avec le bénévolat. Puis, après s'être occupée de trois grands malades et de ses parents, elle a pensé qu'elle devrait peut-être retourner aider en oncologie.

Pourquoi ? Vous vous le demandez aussi ?

— Pour me régénérer. Je ne l'ai pas eu facile, mais je veux continuer à donner de mon temps. Pas de grands engagements : quelques jours à la fois, ça me suffira.

Imaginez avoir à s'entourer de gens très souffrants juste pour se rendre, quasiment souriant, jusqu'au soleil couchant. Si c'était un film, je me lèverais dans l'avion pour l'embrasser. Je la prendrais dans mes bras et lui dirais tout bas qu'elle est belle. Qu'elle est une belle personne, la plus belle de toutes : celle qui donne. Et je lui dirais merci.

Merci, ma belle Rachel.

Michel,
le don passionné

Je me demande si, pour un professeur de mathématiques, il existe une formule éprouvée pour bien enseigner. Pour bien transmettre la matière, surtout quand le candidat n'a jamais été très doué. L'intérêt pour les maths, chez moi, s'est arrêté en dixième année, grâce à un «bof» de prof qui n'avait pas calculé que son élève, algébriste déficient, devait comprendre afin de ne pas échouer à l'examen.

Il n'enseignait pas le raisonnement, mais abordait les problèmes avec des p'tits trucs. Plein d'astuces prononcées en zézayant.

« Zustin, z'ai un p'tit truc à te montrer », me répétait-il, alors que j'attendais une explication, toujours à la recherche du raisonnement adapté au problème.

Dans son simililabo, j'ai découvert, à force de patient labeur, une leçon de vie que j'appelle l'« arithmétique de la philosophie », car, si tous les p'tits trucs sont bons dans le cours de M'sieur, ils ne se traduisent pas en résultats aux examens. Je l'ai appris en échouant aux examens du Conseil scolaire d'Ontario qui s'en foutait comme de l'an 53, euh, 37, hum, 46 peut-être ? C'est quoi, au juste, le bon nombre ?

Mais éloignons-nous de cette mauvaise passe au lieu de la raviver. Plus tard, en me préparant pour l'université, j'ai jugé qu'il était préférable d'enrichir mes connaissances en maths. J'ai bien essayé en m'inscrivant à trois reprises au cours de calcul infinitésimal. Infernal, je ne l'ai pas passé. Trop tard, mais j'en connais maintenant les fondements, grâce aux explications du génial Charles Seife et de son ouvrage *Zéro: la biographie d'une idée dangereuse* que je vous recommande si, vous aussi, les fractions vous laissent la tête vide.

Je n'avais jamais rencontré un homme qui pouvait faire parler sa barbe. Me voici à discuter avec Michel, prof d'université, un « hurlubarbu » aux yeux vifs et cernés dignes d'une bande dessinée. Il crache ses équations d'une gueule poilue mettant à contribution son nez en forme de polygone régulier comme un triangle quelconque. Il aurait pu être dessiné par Disney. Vous

vous en faites déjà une idée ? Fermez vos yeux et imaginez un beau et charmant bol rond à l'envers sur
lequel pousse un champ de fils d'Ariane, tout ébouriffé,
dispersé un peu partout sauf dans... comment s'appelle
encore le milieu d'une sphère, M'sieur ? Vous l'avez
dans l'œil maintenant ?

Il faut l'aimer comme je l'aime, celui-là : un mot et un
sacre à la fois. On n'en fabrique pas à l'infini, des comme
lui. On le sait en 3,14 secondes assis devant lui à se faire
postillonner dessus avec rage et passion. Je serai toujours au premier rang pour l'entendre chanter. Comme
disait Pascal, le deuxième de mes mathématiciens pré-
férés, *le cœur a ses raisons que la raison ne connaît point.*

Lentement, mais sûrement, j'apprends.

— Alors toi, tu enscignes les maths ? Qu'est-ce que tu
penses leur donner, aux étudiants ?

— Non ! me crie-t-il presque. Enfin oui, j'enseigne les
mathématiques, mais j'ai toujours pensé et dit que cela
me servait de prétexte pour les former autrement.

Avant de s'expliquer, il me donne un cours d'histoire.
Je crains qu'il ne fasse noir avant la fin du discours.
Nous buvons du whisky. En moyenne, le nombre de
mots prononcés par minute est de deux cents. Avec
Michel, il faut élever au carré et s'attacher les oreilles.

— Au début de ma carrière, je me vantais en parlant de
ce noble prétexte qui me permettait d'éduquer les
jeunes. Je me suis aperçu, il y a quelques années, qu'en

fait c'était faux et que je voulais simplement bien paraître.

Il poursuit sa réflexion avec franchise :

— Tout récemment, j'ai compris que là, *là* (donc maintenant), les mathématiques sont réellement devenues un prétexte. Ça ne fait pas de moi un mauvais prof de mathématiques, mais mon objectif avec les jeunes est de les responsabiliser. Qu'ils comprennent la notion d'imputabilité.

— Un prof de la vie, quoi ?

— Je leur dis : « Tu veux faire quoi ? C'est quoi ton but ? Tu veux te démarquer ? Si t'es un nettoyeur de linge, comment vas-tu te démarquer ? En nettoyant mieux la chemise ? À un moment donné, la chemise, elle va être lavée. Elle va être nette, nette, nette. Elle va être parfaitement repassée. Parfaitement pliée ! Donc, comment toi, tu peux te distinguer de la concurrence ? En vendant moins cher ? À un moment donné, tu vas être au prix le plus bas, puis moi, ton concurrent, je suis aussi au prix le plus bas. Donc, pourquoi le client viendrait plutôt dans ton commerce ? Et pas dans celui des autres ? » Ce que je leur enseigne, c'est qu'on a tort de penser qu'on est toujours le meilleur, voilà !

C'est un Marcel Marceau joué à la de Funès avec un accent montréalais. Un gendarme aux gants blancs qui gère la circulation de ses mots en t'expliquant comment et où les placer. Il revient à l'échiquier du nettoyeur, celui qui a l'ambition d'être meilleur que son compétiteur.

— T'arrives chez le concurrent et il a mis sur le comptoir un pot de «paparmanes» (des *peppermints* de Canadiens français). Et il t'accueille souriant et te demande: «Comment va ta fille? Elle va mieux? Il me semble qu'elle était malade la dernière fois. T'es vraiment fin de venir me voir. Je pense qu'ils annoncent du beau temps. Ça va être bien. Tu joues toujours au golf? Allez, salut là. Merci d'être passé.» Là, là, LÀ, t'as une plus-value. Ce gars-là pourrait même tacher une chemise que tu l'excuserais.

— O.K., Michel, j'ai compris ton exemple, mais comment tu l'enseignes en même temps que les maths?

— Eh bien, tu n'enseignes pas les maths. Tu prends les maths comme «xxx» de foutu prétexte. C'est sûr qu'on en apprend des mathématiques durant mes cours. Mais, à la première occasion...

Il s'interrompt et me mime ce qui, très certainement, défile dans sa tête. J'ai droit à la mise en scène d'un dialogue entre un prof et un étudiant en direct de ses souvenirs.

— «Bon, toi, tu me fais une drôle de face, là», dit Michel. «C'est parce que je n'ai pas eu une bonne note», répond le jeune, penaud. «Ouin, mais la pas-bonne-note, c'est quoi?» Avant, je me serais dit: «Qu'est-ce qu'il veut, celui-là?» Maintenant, je me dis: «Minute! J'ai un être humain devant moi qui réagit mal à une mauvaise nouvelle. » Je veux voir si cette personne pense que c'est de sa faute et qu'elle est en position d'apprendre ou si elle préfère croire que c'est de la malchance et que la vie s'acharne sur elle. « Si tu penses que la vie est contre toi, je te le dis tout de suite : la vie ne changera pas pour toi. Donc, tu risques de toujours penser qu'elle est contre toi. Par contre, si tu reconnais que, peut-être, tu t'y es mal pris, que tu aurais pu faire autrement... »

Le temps de dire un, deux, trois, nous venons de passer de l'arithmétique à la philosophie, à l'apprentissage de la vie. Mais, comme en dixième année, je ne suis pas encore certain du comment, juste du pourquoi.

Michel poursuit :

— Parle à ceux qui ont souvent des contraventions. La plupart des gens te diront que les policiers, c'est des maudits « xxx ». Ils doivent atteindre leur quota mensuel. Si c'est leur conviction que les policiers ce sont tous des « xxx », eh bien, ils vont encore se retrouver dans la même situation parce que la police ne va pas changer ses règlements. Donc, ces gens-là se feront encore attraper. Il faut que l'individu se dise : « Maudit que j'ai été épais en roulant vite. Ce *ticket* de deux cent cinquante dollars pour l'administration municipale me prive du *jacket* que je voulais à trois cents dollars. » Si tu interprètes la situation de cette façon-là, tu as plus de chance de changer et que cela ne se reproduise pas. Tu pourras l'accepter, parce que, même si le policier veut atteindre son quota, tu as commis la faute. C'est important que tu fasses la part des choses et que tu prennes le parti d'agir plutôt que de subir en blâmant l'autre.

— C'est le genre de mathématiques que tu leur transmets?

Il m'ignore, comme M'sieur dans le temps, mais Michel, ce n'est pas un truc ni un jeu, il donne tout ce qu'il a à donner.

— Celui qui est déçu de lui-même lorsqu'il n'a pas réussi, je l'applaudis et je l'encourage. C'est vraiment cool lorsque cela arrive. Sais-tu quoi? Je leur montre à se fâcher contre eux-mêmes et non contre les autres. Je veux qu'ils deviennent des citoyens responsables, imputables.

— Que fais-tu que les autres profs ne font pas?

— ILS FONT JUSTE DES MATHÉMATIQUES!!! Ils font des mathématiques, point à la ligne...

Je lui demande, pour rigoler – parce que j'ai toujours eu du talent pour emmerder les profs:

— À part ça, que fais-tu différemment des autres?

— Je discute avec eux et souvent on parle de mathématiques.

Et il repart sur la même litanie: une personne capable d'observer ce qui se passe quand elle se trompe...

J'arrête parce que je vais l'exaspérer. « Deux autres whiskys, s'il vous plaît. » Légèrement imbibé, Michel est intarissable.

— Je vois cela tout le temps. Un paradoxe incroyable. Avant leur stage, je demande aux étudiants d'écrire un texte sur leurs forces et leurs faiblesses. Ils écrivent tous la même chose : « La critique constructive est fondamentale, blablabla... J'accepte vraiment la critique... J'en ai besoin pour apprendre... Je suis une personne qui s'adapte... » Et ça, c'est de la *bullshit*. Ils ont vingt et un ans, c'est de la connerie, personne n'est rendu là au sortir de l'adolescence. Des phrases toutes faites, mais vides de sens en ce qui les concerne. Je rends les textes avec des notes du genre : « Reprendre ceci, reprendre cela, plus d'introspection, plus d'honnêteté », et cetera. Ils viennent à mon bureau se lamenter : « Mais là, monsieur, vous avez mal interprété ce que... » « Attends une minute ! Ton paragraphe, c'est ce que tu as de plus honnête à dire sur ce que tu ressens et c'est comme ça que les choses arrivent dans ta vie ? »

Il me montre du doigt, des yeux, des sourcils une feuille imaginaire qui flotte devant lui.

— « Il est où, lui, là, celui que tu décris dans ton exposé ? Celui qui a inventé ce bout-là ? C'est vraiment toi, ça ? Alors, c'est des menteries que tu racontes. Allons voir ce que tu as écrit au sujet de l'éthique professionnelle. As-tu mis que tu étais parfois fabulateur, souvent menteur? Oh, tu ne parles pas de mensonge! Hum, je vois un problème d'éthique ici!»

Michel donne un cours intitulé *Enseignement des mathématiques au secondaire*. Il rédige des livres de classe depuis plusieurs années. Ceux qui le connaissent me disent que c'est le meilleur et pensent de lui que c'est presque un génie.

Je commande un troisième whisky. Ça fait 3 verres x 2 gars, donc nous sommes tous les quatre un peu soûls. Burp.

Gino,

le don de la virginité (prise 3)

La troisième fois que j'ai donné ma virginité, c'était à Ken.

Il était danseur dans le même programme que moi et j'étais follement, éperdument, amoureux de lui. Il avait l'air de Luke Perry de Beverly Hills 90210. *C'était un être doux et gentil, tandis que moi, pour une des rares périodes de ma vie, j'étais prétentieux et j'adoptais souvent une attitude hautaine.*

Jeune danseur élite, je me croyais capable de tout : sauter, tourner, étirer mes jambes plus haut et plus droit que les autres danseurs. Tout me venait

177

naturellement et j'étais conscient des regards approba-
teurs des maîtres. J'étais fier de dire que j'étais bour-
sier dans deux écoles de danse et que je n'avais rien à
débourser.

Ken et moi, nous nous sommes très vite fréquentés. Au
début, j'allais chez lui, on s'embrassait et, finalement, je
l'ai enculé. Un jour, nous allions faire l'amour et il m'a
regardé droit dans les yeux en me disant : « J'aimerais à
mon tour t'enculer. — Je ne sais pas si je veux, lui ai-je
dit. J'ai peur que ça fasse mal. Chaque fois que j'ai la
grippe, je n'arrive même pas à y insérer un thermo-
mètre. » Il m'a dit qu'il allait me montrer comment faire.

Le sexe de Ken était énorme. Son membre mesurait environ vingt-trois centimètres et était imposant. Sans trop
de mots, il m'a dirigé de ses mains. Je me suis couché sur
le dos. Il m'embrassait partout et, lentement, j'ai commencé à me détendre. Quand il l'a constaté, il s'est vite
mis à me manger l'anus. Après quelques minutes à me
lécher et à me mordiller le cul, il a appliqué quelques
gouttes de lubrifiant et m'a dit dans le creux de l'oreille :
« Ne pense à rien d'autre et masturbe-toi. » Doucement,
posément, il s'est mis à me frotter l'anus avec le corps de
son pénis. Peu à peu, j'ai réussi à me faire à l'idée et il
s'est glissé en moi un millimètre à la fois. Couché sur le
dos à regarder le plafond, les jambes écartées, j'ai réalisé
que tout allait bien se passer. Une respiration profonde
et il me pénétrait par petites poussées. Après quelques
minutes, son sexe a touché à ma prostate. La sensation a
été bizarre, inconnue, mais pas du tout douloureuse.

Soudainement, j'ai compris à quel point ça me faisait du bien de l'avoir en moi. Il m'a dit : « N'arrête surtout pas de te masturber. » Chacun de mes gestes était coordonné avec son mouvement de va-et-vient. Et j'ai éclaté. Un orgasme comme nul autre. Je me suis complètement vidé. Je n'avais jamais joui aussi intensément avant. « Oh, mon Dieu ! » ai-je crié. J'étais prêt à recommencer, mais nous avons attendu une dizaine de minutes pour que mon cul et mon pénis ne soient pas aussi sensibles.

J'aimais vraiment faire l'amour avec lui, mais j'ai tout gâché.

J'ai dit qu'humainement ce n'est pas la période de ma vie dont je suis le plus fier. Je faisais tout pour provoquer Ken. J'aimais quand nous nous chicanions. Je créais une situation, ce qui déclenchait une argumentation stupide, et j'attendais qu'il me coure après. Puis, nous nous réconciliions au lit. Nos querelles mettaient du piquant à la relation sexuelle qui suivait. Lui comme moi devenions passionnés et presque violents dans nos ébats. Ce n'était jamais aussi bon que ces fois-là. Ken avait un caractère doux, mais plus il était gentil et plus je le défiais.

Je suis mort de honte quand j'y pense, aujourd'hui. Je n'oublierai jamais notre dernière rencontre. J'avais encore provoqué la bisbille, mais, pour la première fois, il ne m'a pas rappelé. Il ne m'a pas pourchassé. J'étais seul à la maison, ce soir-là, et j'attendais que le téléphone sonne comme d'habitude.

179

*J'ai pris l'initiative de l'appeler, pour l'entendre m'an-
noncer qu'il me laissait. J'étais un trou du cul égo-
centrique et j'ai décidé de l'ignorer. C'était ma façon
de lui montrer que ça ne m'affectait pas. Ce froid a
duré des semaines. Pendant l'un de nos cours de danse,
il s'est échappé et m'a appelé « chéri ». Je me suis dit
que j'aurais peut-être une chance de le récupérer
parce que j'étais toujours follement amoureux de lui.*

*Un soir, je me suis pointé chez lui. La porte s'est ouverte,
il se tenait debout devant moi, une main sur la poignée et
l'autre qui ne m'invitait pas à entrer.*

— Gino, que fais-tu ici ?

*— Ken, je t'aime et je voudrais que l'on essaie de nouveau,
lui ai-je dit.*

*La réplique n'a pas tardé. Ken m'a fait le plus beau don
de ma vie quand il m'a dit : « Gino, je t'aime et je t'aimerai toujours, mais quand je suis avec toi, c'est moi que je
n'aime plus. Notre relation malsaine a tué cela. »*

*J'ai senti que j'allais m'évanouir. Je me suis enfui. En
m'éloignant de chez lui et de la portée de ses mots, j'ai
senti que quelque chose en moi mourait. Cette soirée a
changé ma vie.*

*Pendant des semaines, je me suis demandé comment
j'avais pu faire cela à quelqu'un que j'aimais. Pourquoi
l'avais-je maltraité psychologiquement pour ma simple
satisfaction ?*

Je ne le lui ai jamais dit, mais cela m'a grandement aidé à modifier mon comportement. Je n'ai jamais plus traité une autre personne de cette façon.

Celui que j'ai rencontré immédiatement après est mon beau Joe. Je l'ai épousé dès le premier regard. Nous ne nous sommes jamais quittés et ça fait plus de trente-cinq ans. Depuis, chaque fois que je réalise que je déconne, j'entends la voix de Ken et je m'assagis.

Finalement, c'est Ken qui m'a fait le don le plus important de ma vie. J'ai compris la leçon et cela n'arrivera plus jamais.

Et voilà pour la troisième et dernière fois que Gino a donné sa virginité. Quand j'y réfléchis, je m'interroge plus qu'avant sur ce que signifie donner sa virginité. Est-ce un acte physique ou moral ? Je n'en suis pas certain et ne peux que me souvenir de ma première expérience, et ce sentiment de soulagement qui l'accompagnait. Dans le cas de Gino, ce que je trouve beau est le changement qu'il a vécu en lui. Le vrai don a été de découvrir, grâce à Ken, qui il était devenu et quelle sorte d'homme il voulait vraiment être.

Il faudra sans doute maintenant que je pose la question à une femme. J'ai mon idée...

Yvonne,
ni don ni regret

J'ai mal au dos et j'ai souvent besoin de me faire masser. Alors, je vais soumettre mes problèmes fonctionnels de corps humain à celle que je surnomme *Mistress* Julie. Celle qui exerce, avec ses coudes et ses mains, une pression intense sur mes tissus profonds. Celle qui me torture. Mais quel mal délicieux! Parfois, le supplice me fait rire malgré moi ou pleurnicher. Une douleur goûteuse qui peut me faire frémir tout entier, me faire hurler, souvent me faire sacrer jusqu'à en pétrifier les voisins de cabine et la clinique entière. Lorsque je sors de la tourmente, je vois bien que leurs grands yeux me scrutent.

Dans le bureau de *Mistress* Julie, j'entre recroquevillé et j'en ressors droit comme... comme... comme moi! Grâce à ses manipulations vigoureuses, malgré mes cris et toute la sueur que j'y laisse, je me retrouve. C'est bien meilleur qu'une paire de mains molles ou, pire, moites!

Pendant mes séances avec *Mistress* Julie, j'aimerais bien relaxer, mais c'est impossible. Entre les « crisse » et les « tabarnak », nous échangeons quelques mots. Depuis un certain temps, j'aborde la plupart des conversations avec une question sur le don. Or, cette fois-ci, rien de particulier ne vient à l'esprit de Julie. Je vois bien qu'elle est concentrée sur un nœud vers le bas de la colonne. Donc, nous passons à un autre sujet.

Je l'aime bien, Julie. Son mari Joy est très charmant lui aussi. « Yvonne, ta belle-maman, te prépare encore de bons repas libanais? » Moi qui aime un peu, beaucoup, à la folie le hommos au citron, le café noir goudron et le *namoura* des *habibtis*. C'est une façon très subtile de quêter, sauf que le message, au contraire de son massage, ne passe pas. Elle ne m'apporte pas un pois chiche ou un sucre. Mais elle a plein de coups de poing pour mon fessier.

— Non, me dit-elle. Yvonne ne cuisine plus. Elle est mourante... Il ne lui reste que quelques mois.

— Désolé d'entendre cela. Cette nouvelle est bien triste, dis-je.

Entre deux lamentations, j'ai soudain une boule dans la gorge. Je suis un émotif qui pleure pour n'importe quoi.

— C'est triste pour tout le monde, sauf pour elle ! crie-t-elle presque au moment où l'air se vide de mon ventre. Aida, la sœur d'Yvonne, est venue du Liban. Je suis là. Joy est là. Nous voulons tous nous occuper d'elle, mais elle se fiche de nous ! « Je vous entends. Vous parlez encore de moi ! » nous avertit Yvonne.

Julie me dit que, ces derniers jours, Yvonne se fait transporter de son lit à la table de cuisine, où elle s'installe pour regarder son Ricardo à la télé. Malgré l'intensité du son, elle entend tout des chuchotements qui proviennent de la pièce voisine, surtout quand la discussion porte sur le sort dont elle ne se sortira pas...

— Et elle... rit de cela ? Tu penses qu'elle accepterait de me parler ?

Dans ma tête – seul endroit où Julie ne me torture pas –, je me dis qu'une femme mourante pourra me donner une pépite qui enrichira mon expérience. J'espère qu'elle me dira comment mieux vivre. Un petit indice qu'elle seule peut connaître dans sa situation. Un don de sagesse. Julie me promet de le lui demander.

Il y a certaines questions qu'un grand peureux de la mort comme moi aimerait lui poser. Si elle veut bien discuter de cette fin inévitable vers laquelle elle avance très vite, je pourrais affronter cette peur innée que j'ai de tatouée partout sur moi. Au sens propre ! J'ai sur la cuisse droite un bouddha qui repousse la peur. Sur la gauche, un masque congolais Kuba qui surveille les portes et les fenêtres chez moi. Sur l'avant-bras droit, un lion des neiges, gardien du temple. Tous indélébiles. La peur habite chez moi en permanence depuis que je suis tout petit. Une peur maladive qui m'a déjà cloué au lit ou empêché de faire un pas en dehors de la maison. La vérité est que je n'ose même pas en discuter, bien que j'aie toujours à l'esprit l'idée de la mort.

Deux semaines plus tard, ma requête est acceptée. Yvonne m'attend. Je ne sais pas trop ce que je vais lui dire. Pour une fois, j'arrive sans questions, sans dessein secret. La seule autre occasion où je me suis assis devant une mourante, c'était le dernier jour de grand-maman Maya. (Elle et tante Ginette sont aussi tatouées sur mon bras.) Une dernière rencontre ratée. Je n'arrivais pas à cesser de pleurer comme maman me l'avait demandé. Entre deux sanglots, j'ai tout de même pu lui dire : « Je t'aime grand-maman. Et je t'aimerai toujours. » Ah, si je pouvais avoir la chance de lui dire au revoir convenablement ! « Allez, Justin, sèche tes pleurs et ton clavier, Yvonne t'attend. Tu l'as écrit il y a cent mots déjà ! »

Ding dong. Julie ouvre et m'invite à entrer. Je traverse le salon vers la cuisine et la personne que je trouve assise à la table ne ressemble en rien à la malade que je m'attendais à voir. Yvonne, la femme devant moi, ne peut avoir une date d'expiration. Ce doit être une erreur.

Elle est ravissante. Elle porte un chandail bleu, un pantalon parfaitement pressé et ses cheveux sont bien placés. Elle et Aida se sont soigneusement préparées pour l'homme étranger qui venait à la maison. Oui, moi. Pendant la prochaine heure et demie, elle ne bougera pas, à l'exception de ses mains et ses yeux et son visage et sa bouche et ses rides et ses sourcils et ses lèvres et ses dents et son doigt raide, pointant tout droit vers des messages que je ne capte pas toujours.

Sa marchette est garée à côté d'elle, à portée de bras. Elle me fait un olé de bienvenue et je me penche pour l'embrasser. Aida a préparé des *atayefs* à la ricotta et d'autres aux pistaches pour accompagner le café turc. Selon mon habitude, je pose des questions banales pour réchauffer la machine, bien que Julie m'ait averti que le temps, ici, passe très vite et que la fatigue arrive soudainement. Opportuniste, je m'aventure à lui dire que, même si nous ne sommes pas mardi, elle est mon Morrie à moi. Je lui explique que j'écris un livre sur le don et que j'aimerais savoir ce qu'elle peut y ajouter.

— Ce serait comme si vous me donniez un dernier cadeau pour aider ceux qui resteront sur terre. Comme un dernier don...

Rapidement, je perçois que le chemin sera long.

D'abord, le début. Yvonne est née à Beyrouth, au Liban, le 11 septembre 1933. Ses parents étaient couturiers, une tradition que leurs deux garçons et leurs deux filles ont perpétuée. Je veux en savoir plus sur sa vie de Beyrouthine avant de venir au Canada.

— J'ai la maison et la terre, mais je n'ai pas toujours un mari, me dit-elle avec cet accent élégant, ce roulement libanais que je savoure. Je suis restée avec lui un an et demi.

— Ah bon, qu'est-il devenu ?

— Il est mort tôt, quand Joy avait trois mois. Cela fait longtemps. Je suis restée pour élever mon fils avec ma mère et ma sœur Aida. On a vécu la guerre. Quel dommage... dommage ces années perdues.

Sa mémoire revisite son passé, mais ses mots ne vont pas tout me raconter, malgré mes efforts. Joy et Julie vont me parler de pluie d'obus et de francs-tireurs qui les empêchaient de traverser les rues, alors qu'Yvonne laisse ses souvenirs là où ils se trouvent. Enfouis.

— Comment avez-vous fait, sans mari, durant la guerre ?

— J'ai travaillé, dit-elle en relevant épaules et sourcils, comme si c'était l'évidence même.

Alors je lui dis pourquoi je suis venu la voir et l'interviewer. Sa famille ne parvient pas à lui parler de sa mort imminente. De plus, les larmes d'Aida l'impatientent. Donc moi, habituellement peureux comme Zeke dans *Le magicien d'Oz*, je vais le faire. Pour une fois, je vais parler de la mort avec une personne qui arrive au bout de sa chandelle.

— Votre famille s'inquiète pour vous. Que pensez-vous de la mort, Yvonne ?

— Les pauvres... Julie, Joy et elle (elle montre Aida du bout du nez). Je dis à ma sœur : « Pourquoi tu es fâchée ? Qu'est-ce qui ne va pas ? Je vais mourir ? Voilà, je vais mourir. » (Elle prononce ces mots avec une expression de finalité dans la voix.)

Son regard revient vers moi.

— Il faut mourir, oui ou non ? Cela nous arrive à tous. Moi, durant ma vie, je veux vivre, pas attendre la mort, continue-t-elle, avant que son attention reprenne le chemin de la sauce de Ricardo.

Je lui raconte ma dernière rencontre avec grand-maman Maya ainsi que mes grandes et ridicules frayeurs.

— On arrive difficilement, dans notre culture, à parler de la mort ouvertement. Je ne connais personne qui soit vraiment à l'aise avec le sujet. Alors, pouvez-vous me donner une leçon de vie ?

— Mais qu'est-ce que je peux te dire ? Je n'ai rien à te dire, vraiment. Rien. Pourquoi je serais fâchée ? Parce que je vais mourir, comme tout le monde !

Cette fois, elle me pointe du menton, la mâchoire serrée et carrée.

— Madame Yvonne, je suis ici parce que j'ai peur de la mort. J'ai peur de tout, à vrai dire.

Ses yeux sont ronds et expriment la déception.

— Il ne faut pas. Ce n'est pas joli, surtout devant ton fils et devant ta femme.

C'est le premier indice de la leçon qu'elle pourra me donner.

— Il faut laisser passer les choses telles qu'elles sont, oui ou non ? Telles qu'elles sont. Le jour par jour. Le plaisir de tous les jours vient de partout. La nourriture. Les tulipes. Je suis bien pour voir les choses comme cela : la neige qui tombe dehors (cette fois, elle montre du doigt). J'aime voir les choses jolies.

Sa sérénité face à sa mort est pour moi incompréhensible.

— Depuis que vous savez que vous arrivez à la fin de votre vie, jouissez-vous plus de chaque instant ?

— Non... j'ai toujours profité de chaque jour.

— Des regrets ?

— Aucun regret.

Puis elle jette un regard rapide vers Ricardo qui explique comment tout mélanger.

— Peut-être pouvez-vous m'expliquer ce que vous souhaitez pour votre famille après votre départ ?

— Je veux leur souhaiter la paix. Qu'ils restent comme cela dans un monde sans bagarres. Vraiment, la paix. J'ai vécu la guerre. Je suis restée chez ma mère avec mon enfant. Je n'avais pas de sourire dans le temps. On a vécu beaucoup de peur dans ce temps-là. En partant, on n'a rien laissé là-bas, sauf les vitres cassées et les murs brisés.

Mes tactiques d'intervieweur qui laisse planer le silence ne sont pas efficaces ici. Mon avion silencieux s'écrase. Elle ne remplit pas le vide, elle le creuse. Son histoire de la guerre s'arrête ici, un obus qui n'explosera pas.

— J'ai lu *Tuesdays with Morrie* (*La dernière leçon*), l'histoire d'un homme mourant qui se confie. Je cherche à savoir ce que vous ne dites pas aux autres.

— Oooooohhhhhh, fait-elle.

Je suis encouragé, mais très brièvement, car elle enchaîne sa réponse :

— Je n'ai rien pensé de tout cela.

La jasette se poursuit, mais le combat, si on peut l'appeler ainsi, est abandonné.

— Alors, qu'est-ce qu'on fait maintenant, Yvonne ?

— Maintenant ? On mange des *atayefs* aux pistaches.

Dans les mois qui suivent, je reviens à quelques reprises pour jaser avec Yvonne devant un café et des crêpes farcies. J'ai toute une vie devant moi et je n'arrive pas à neutraliser mes pensées sombres. Tandis qu'elle, qui a survécu aux pires méchancetés humaines, refuse de se laisser dominer par celles-ci. Elle remporte son pari en riant de la mort et de la vie. Elle voudrait bien me convaincre de rejoindre son clan de gens paisibles.

Au moment où j'écris ces mots, Yvonne est toujours là. *Inch'Allah...*

Hôpital Marie-Clarac, le lundi 28 août 2017

La chambre d'Yvonne est facile à repérer : c'est la seule de l'aile où l'on entend des visiteurs s'animer. Le long du couloir, j'observe discrètement une enfilade de lits et de corps allongés. Des formes humaines sous la flanellette, la plupart endormies. Les patients encore éveillés sont illuminés par les faisceaux d'une télé. Des personnes mourantes, isolées, abandonnées.

J'arrive à la chambre 281. Yvonne somnole. Sa sœur Aida est assise à côté de la fenêtre tandis que son fils Joy est dans un fauteuil à la droite de sa maman. Ils sont surpris mais contents de me voir. Leurs regards doux et paisibles me rassurent. Joy se force à sourire.

Ils sont ici tous les jours depuis trois semaines à observer le corps d'Yvonne faiblir tranquillement. Elle ne quitte plus son lit depuis que ses jambes l'ont abandonnée. Dans le brouhaha de mon arrivée, Yvonne a ouvert les yeux momentanément. Elle n'a rien dit, alors que j'entends au fond de ma tête : « Ah, lui encore ! » Elle me tend sa main.

Il est quasiment impossible de savoir comment communiquer avec Yvonne, mais peu importe. Elle est fatiguée, ses yeux restent fermés et sa bouche est entrouverte. Je comprends vite que je ne suis pas ici pour Yvonne, mais pour Joy. Il a besoin de parler, de Conor McGregor et de GSP, de la météo et de la télé, de Trump et de n'importe quoi, finalement.

Du coin de l'œil, j'aperçois le regard angoissé d'Aida qui glisse de la fenêtre à sa frangine et revient à sa direction initiale. Je me demande ce qu'elle cherche dans le parking. Lorsque Yvonne émerge du néant, elles échangent quelques mots en libanais et Aida couvre le visage entier de sa grande sœur de doux baisers.

Tandis que son Joy administre les médicaments à sa mère, Aida me raconte qu'elle a montré à Yvonne une photo de son fils.

— Tu le reconnais ? a demandé Aida.

— Oui, a répondu Yvonne. C'est l'amour de ma vie.

Ces mots m'ont frappé comme un coup de massue. Après des mois de doutes, je comprends finalement pourquoi je devais parler d'Yvonne dans un livre sur le don. Je voyais un peu d'ironie dans le fait qu'elle en avait si peu à me dévoiler. C'était même comique de me voir dans le rôle de Mitch Albom à qui Morrie avait tout raconté, alors que moi, je n'arrivais pas à lui soutirer grand-chose d'inspirant. Je me disais que son don était simple : ne pas s'en faire autant et vivre chaque moment, même quand le pire se présente.

Il existe une bien meilleure raison pour laquelle elle semblait avoir si peu à m'offrir : c'est à Joy qu'elle a TOUT donné.

C'est lui qu'elle a protégé pendant la guerre au Liban et mis à l'abri des atrocités. Elle a trouvé refuge avec Joy au Canada non pas pour réinventer sa propre vie, mais bien pour lui en assurer une, à lui. C'est Joy qui occupait son temps et toute la place dans son cœur. Ce n'est pas qu'elle ne voulait rien me donner, c'est que le réservoir était vidé. Si sœur Louise, des Marcellines, était assise à côté, elle me dirait probablement : « Voilà le genre d'amour dont je t'ai parlé. »

C'est à Joy qu'Yvonne s'est consacrée et maintenant, épuisée, il ne lui reste que sa finalité. Celle-ci ne tardera pas à arriver.

Quant à Joy, les semaines passées dans l'aile des mourants lui auront appris la grande solitude qui y règne. On dit que les oiseaux se cachent pour mourir ; chez les humains, c'est souvent la famille qui disparaît. Joy s'est engagé à donner de son temps pour visiter les malades en phase terminale. Il offrira son attention, sa compassion à ceux et celles dont la famille n'apparaît que sur de vieilles photos épinglées au mur.

Si cette rencontre ne m'a pas permis d'apprivoiser mes peurs, elle m'aura en revanche aidé à mieux comprendre le don d'amour inconditionnel. Merci Yvonne.

Amanda,
le don de la robe de mariée

— *Papa, c'est le jour de mes noces. On nous attend, papa.*

— *O.K. Amanda, allons-y.*

Papa n'est plus le même. Il ne reste que mes souvenirs de celui que j'ai connu. Ses yeux sont un peu dans le vague, mais je suis convaincue que mon papa est toujours là derrière ce regard d'enfant perdu.

Je vois au ralenti le parcours qui nous a menés à l'autel. Il est dans son fauteuil roulant, la main dans la mienne, tandis que mon frère Paul se tient droit derrière lui et le pousse. Après la course folle des préparatifs, c'est la première fois depuis l'annonce foudroyante du diagnostic, il y a deux mois, que le temps semble suspendu. J'entends mon ami Jacob chanter La vie en rose. *Ma robe enchantée virevolte à la même cadence que les paroles d'Édith. Je suis une ballerine déguisée en mariée qui avance vers sa destinée.*

Autour de moi, ceux que j'aime sont réunis. Leurs visages lumineux, leurs regards souriants malgré les larmes qui coulent embellissent la scène. Je perçois la magie du moment et cela me touche au plus profond de mon cœur.

Nous sommes au bout de l'allée devant l'autel et nous nous embrassons, papa, Paul et moi. Je sais que mon amoureux m'attendra encore un tout petit peu. C'est lui, Dom, qui a proposé d'avancer d'une année la date de notre union. Qu'est-ce qu'une minute de plus à attendre le destin ?

Paul a de la difficulté à me laisser aller. Peut-être que sa main agrippée à mon avant-bras est sa façon de prolonger cette ultime communion avec notre père. Me soutient-il ou s'accroche-t-il pour ne pas s'effondrer ? Paul le protecteur, mon frère bienfaisant...

Voilà, papa est maintenant installé à côté de maman. Il n'avait pas imaginé cette journée ainsi. Quel étrange moment ce doit être pour lui ! Je me suis retournée pour le regarder une dernière fois avant que Dom me glisse la bague au doigt. Mes yeux se sont fondus dans les siens. J'ai revu mon papa.

Ensuite, j'ai regardé droit devant et j'ai dit « oui ».

———

S'il y a une chose à laquelle je n'ose toucher dans notre armoire, c'est la robe de mariée qui appartient à Lynda. Elle a attendu douze ans avant de la porter et j'ai compris que l'article est à préserver pendant longtemps. Mon habit à moi, que j'ai porté pour la première fois en cette fatidique et magnifique journée, fait maintenant partie de ma collection permanente. C'est une tenue convenable pour n'importe quel jour. Une robe de mariée est utilisée de façon différente. Elle ne devient jamais un vêtement du quotidien, mais plutôt un artéfact à contempler de temps en temps. Même si elle pend de mon côté du placard, que je suis forcé de frôler la housse tous les jours et que la situation pourrait devenir agaçante, je ne dis mot à ma belle.

Cette expérience ne fait pas de moi un expert en robes de mariée, loin de là, mais l'occasion s'est présentée d'en discuter avec mon amie Amanda, une Canadienne qui habite maintenant Portland, en Oregon. Son histoire vaut la peine d'être racontée.

En 2016, elle et son copain Dom se sont fiancés. Leur parfaite journée devait avoir lieu en 2017, mais, après leur décision de s'unir officiellement, le papa d'Amanda a reçu un diagnostic effroyable : une tumeur au cerveau qui ne lui laissait que quelques mois à vivre. Ils ont choisi de devancer la date et se sont mariés deux mois plus tard.

— La décision s'est prise rapidement et nous avons commencé les préparatifs sur-le-champ, me raconte Amanda. La première chose à régler sur la longue liste : trouver la robe. Pour déterminer le style, Pinterest est un incontournable pour les fiancées du monde entier.

Très vite, Amanda a trouvé. Elle a reconnu en un coup d'œil ce qu'elle souhaitait : une jupe en lin peigné d'un rose tendre et délicat, d'allure vaporeuse. Amanda savait qu'en la portant elle se sentirait comme une ballerine en robe de princesse. Elle ne s'était vue ainsi que dans ses rêves, et cela devenait une réalité.

La robe exposée sur le site, portée par une certaine Katie Kennedy, avait été créée par la couturière Carol Hannah, une designer autodidacte qui s'était acquis une jolie renommée dans le domaine. Et, comme si le hasard jouait en faveur d'Amanda, il n'y avait qu'une seule boutique au Canada où elle pouvait la trouver, à trois coins de rue de chez elle.

Amanda a tout de suite téléphoné pour expliquer les circonstances particulières de son mariage.

— Revenez dans deux semaines, lui a-t-on dit. Par contre, pour une livraison rapide, il y a un surplus de cinq cents dollars, mais vous aurez votre robe.

Le jour dit, Amanda et sa maman se sont présentées à la boutique. La jupe et le haut pour l'accompagner lui faisaient comme un gant, mais il y avait un gros hic.

— On vous a mal informée, lui a-t-on appris. Il aurait fallu la commander il y a deux semaines.

Désespérée, Amanda a beaucoup insisté. Elle a téléphoné à la designer, pour se heurter à une nouvelle réponse négative. Elle a approché une couturière, afin de faire reproduire la robe désirée, sans succès.

Malgré ses larmes et ses moments de découragement, elle n'a pas renoncé. Elle a ensuite communiqué avec huit autres boutiques en Amérique, pour se faire donner toujours la même réponse : *sorry*, mais non. Elle était sur le point d'abandonner et de chercher une robe plus traditionnelle blanche lorsqu'elle s'est décidée à écrire à Katie Kennedy, la mariée qui l'avait mise sur Pinterest.

— Peut-être qu'elle accepterait de me la vendre ou simplement de me la prêter.

Dans un courriel détaillé à celui qui avait pris la photo, ses doigts ont raconté son histoire. Deux minutes après qu'elle eut cliqué sur « Envoyer », le téléphone a sonné. C'était un dénommé Douglas Benedict, de Pennsylvanie.

— Je suis triste pour ce qui vous arrive. Je vais essayer de vous aider en communiquant avec Katie et je vais lui demander pour vous.

Le soir même, Katie a écrit ce qui suit à Amanda :

« Amanda, laisse-moi commencer en disant que tu as bon goût ! Je suis ravie que tu aies trouvé mes photos. La maladie de ton père m'attriste et j'aimerais avoir la chance de faire quelque chose. Je vais donc t'envoyer la jupe Kensington. Si tu l'essaies et que tu ne l'aimes plus, renvoie-la-moi, s'il te plaît. Si tu l'aimes, je te l'offre. Je ne te demanderai qu'une faveur : une photo le jour de ton mariage, que je placerai à côté de la mienne. J'ai mis des mois à la trouver et tu la rendras encore plus spéciale en la portant aussi. »

Quel soulagement !

L'étape suivante fut la plus difficile : attendre ! Le facteur et Amanda sont de vieux amis depuis qu'elle fait son magasinage en ligne. Tous les jours, elle le guettait. Cinq journées à se faire dire : « Ce sera sans doute demain. » Enfin, le facteur s'est présenté devant sa porte, colis à la main et sourire aux lèvres. Ce jour-là, les résidants de l'immeuble ont peut-être vu leur voisine danser dans le couloir avec le facteur.

Elle a ouvert le colis expédié de Bethlehem, en Pennsylvanie, et ce fut la joie !

— Quelle probabilité y avait-il pour que la vie de Katie croise la mienne ? Rien ne l'obligeait à répondre au courriel d'une inconnue. À l'opposé, elle a fait preuve d'une générosité remarquable et, sans prendre le temps de réfléchir, elle m'a envoyé SA robe de mariée ! Combien de personnes feraient ce geste ?

Le jour du mariage, poussé par son fils, Steve, le père d'Amanda, a mené celle-ci jusqu'à l'autel. La cérémonie s'est déroulée comme dans les rêves de petite fille de la mariée. Une journée unique, toute en harmonie et en amour.

Amanda a tenu son engagement en envoyant une photo à Katie. Elle a joint une citation d'Amelia Earhart : « Un seul acte de bonté jette des racines dans toutes les directions, et les racines jaillissent et font de nouveaux arbres. »

Mais l'histoire ne s'arrête pas après les noces de Dom et Amanda. Dans une émission télévisée, un journaliste a présenté l'aventure de la robe de mariée itinérante comme un exemple de solidarité féminine. La diffusion coïncidait avec le jour où le papa d'Amanda aurait fêté son anniversaire. Des journaux ont fait circuler l'anecdote, des blogueuses l'ont relayée. L'histoire de ce don unique a voyagé dans la communauté des internautes.

C'était presque inévitable, cette notoriété cybernétique a fait des petits. Un jour, Amanda a reçu un message tout à fait particulier :

> « Bonjour, je m'appelle Stéphanie. Ton histoire m'a beaucoup touchée. J'étais très attachée à ma belle-maman, qui est décédée récemment de la même maladie qui a emporté ton père. Son fils et moi avons organisé une cérémonie de mariage non officielle avant qu'elle nous quitte. Prochainement, nous allons réellement nous unir et, lorsque j'ai lu le récit de ton mariage, j'ai pensé

que je pourrais poursuivre la chaîne en portant ta robe de mariée. Qu'en penses-tu ? »

Amanda a demandé l'avis de Katie, qui lui a laissé le soin de la décision.

— Je devais la lui donner, explique Amanda. J'aurais eu tort de la garder à s'empoussiérer dans le placard. Faire circuler la jupe perpétuait le bonheur qu'elle nous avait procuré, à Katie et à moi.

Quelques semaines plus tard, Amanda posait un nouveau cadre de jeunes mariés à côté du sien. Depuis, elle a reçu plusieurs courriels de futures mariées qui avaient toutes des histoires crève-cœurs et qui aimeraient bien qu'on leur fasse le même don.

Amanda les a acheminés à Stéphanie. Vous devinez la suite.

MissMe,
le don contesté

Elle doit cacher son identité. Sous une cagoule de Minnie Mouse se dissimule une activiste féministe redoutable. MissMe, de son nom de pinceau, étale ses graffitis un peu partout sur les murs défendus des grandes villes. Elle peint son opinion sur la place des femmes dans notre société et implicitement sur celle des hommes. Elle n'attend pas de permission pour dénoncer les injustices et blâmer les oppresseurs par ses grands dessins sur les toiles que lui offrent les clôtures de ruelles ou les murs d'immeubles. C'est une artiste connue que l'on ne peut reconnaître.

Si Picasso a dessiné un nez où l'on imagine l'emplacement d'une oreille, les femmes que dessine MissMe ont, elles, des bêtes cornues aux dents acérées ou des têtes de requin aux longs crocs là où se trouveraient normalement les nichons. Difficile d'imaginer des seins plus éperonnés. À l'entrecuisse, une main au majeur bien dressé salue les passants aux yeux qui louchent un peu trop longtemps, un peu trop bas. Ses dessins géants sont des appels à la mobilisation qu'elle a intitulés *Pussylluminati*. Les œuvres mettent en lumière certaines vérités crues que nous n'admettons pas publiquement. Impossible de ne pas être interpellé par ses immenses personnages et de ne pas s'immobiliser le temps de s'en imprégner. Pour vous en convaincre : www.miss-me-art.com.

Nous sommes amis depuis plusieurs années, et j'ai régulièrement besoin de son regard lucide, perspicace et sincère. Pour un roman, j'ai voulu comprendre comment tous les sens d'une femme sont touchés lorsque son sexe est caressé. C'est à elle que j'ai posé la question. Pour écrire une fiction crédible et authentique, on doit capter toutes les sensations, de la tête au cul. Rien ne peut être inventé. Ma mère me l'a confirmé quand elle m'a dit de l'auteur irlandais Roddy Doyle, qui a écrit à la première personne *La femme qui se cognait dans les portes,* récit qui met en scène une femme battue : « Je ne sais pas comment il a su tout ce qui peut tourner dans la tête d'une femme ! » Lorsque je décris la pensée de mes personnages féminins, je souhaiterais que maman se demande en me lisant: «Comment savais-tu ça des femmes, mon petit garçon?»

C'est donc à MissMe que j'ai posé la question sur le don de la virginité.

— Est-ce qu'une femme donne sa virginité?

Avant qu'elle n'ouvre la bouche, son regard en dit long. Elle est un peu choquée, et ce n'est pas pour me déplaire. Je jubile toujours intérieurement quand elle s'indigne, même si les éclairs dans ses yeux annoncent les coups de tonnerre qui suivent immanquablement. Elle promène son accent de la Suisse jusqu'à Montréal, avec des arrêts à Neuilly-sur-Seine et à Londres, où elle a cueilli en partie son langage coloré.

— Je n'ai donné ma virginité à personne parce que je n'avais rien à donner. *On n'a rien* à donner. Cela laisserait entendre que cette chose est un trésor précieux extérieur à soi que l'on préserverait pour l'offrir à un homme en cadeau. Faux!

Nous sommes installés dans la pénombre au fond d'un café du Mile End rempli de hipsters. Je commande du thé, un pain aux bananes, et j'essaie de garder le niveau sonore de ma voix à son plus bas. Après cette réponse énergique de MissMe, j'ai l'impression que tout le monde me regarde, avec ma barbe rasée, et m'entend poser des questions salées. Je laisse tomber cette peur fictive et me concentre sur mon interlocutrice, qui ne se laisse pas intimider par l'entourage. Elle s'en fout avec toute la lassitude qu'un roulement des yeux peut exprimer.

— Est-ce qu'on dit d'un garçon qu'il a donné sa virginité ? On ne dit jamais ça. Plusieurs cultures transmettent à la femme l'importance primordiale de la virginité. On lui fait croire qu'en restant vierge elle possède une grande valeur. Tu crois ça, toi, que, si tu es encore vierge, cela fait de toi quelqu'un d'honorable, quelqu'un de bien ? Et, du coup, il faut que tu la donnes dans un contexte de mariage et absolument à la bonne personne. D'abord, c'est quoi la virginité ? Un hymen intact ? C'est de la connerie.

Alors je dois comprendre, MissMe, comment définir cette...

— Pour perdre sa virginité, il faudrait l'acte de pénétration. Les lesbiennes ne donneraient pas leur virginité alors ? À mon sens, ça ne veut rien dire. Ce n'est que la soi-disant morale religieuse qui nous a inculqué ces règles. Et que dire de nos structures familiales basées sur le patriarcat ? L'homme est dépositaire du pouvoir sur les femmes de sa famille.

On aimerait croire à ces sociétés dont on entend parler, où ce sont les femmes qui portent les culottes. J'ai l'impression qu'elle va pousser sa pensée plus loin.

— Même si, de temps en temps, la femme détient certains pouvoirs à la maison : les cordons de la bourse, l'éducation des enfants... son règne prend fin dès qu'elle met le pied hors de la maison, car les lois ne sont pas pour elle. Si elle se fait taper dessus par son mari, il y a de bonnes chances pour que ses droits soient bafoués. En ce qui me concerne, quand les lois sont contre toi, ce n'est pas une société matriarcale. Dans certaines cultures, ça rassure tout le monde de dire que la femme possède quelque chose à donner de précieux. Comme la femme ne le donne qu'une seule fois, quand c'est fait, elle serait usagée?

— Alors comment aborder la première fois, MissMe?

— Je n'en sais rien. La première fois que tu es intime avec quelqu'un, homme avec femme, femme avec femme, homme avec homme, même s'il y a pénétration, ça ne veut pas dire que tu as donné quelque chose. Ça veut juste dire que c'était la première fois. En plus, c'est rarement un souvenir mémorable. Souvent, ce n'est pas terrible, parfois, ça fait mal et, émotivement, ce n'est pas ce qui compte le plus dans la vie d'une femme.

MissMe me chante l'hymne de l'antivirginité. Et ça ne lui prend qu'un bol de thé et une banane transformée en petit gâteau par le boulanger.

— Personnellement, je pense avoir eu deux premières fois, poursuit-elle. Parce que la toute première, avec mon copain de l'époque, ma mémoire a complètement effacé que nous avions fait l'amour. J'étais tellement dans une transe que, lorsque je me suis réveillée étendue sur lui et qu'il m'a dit: « Tu sais ce que nous venons de faire? », j'ai été surprise et... surtout, je ne me souvenais de rien.

Elle avait dix-huit ans. C'est la deuxième fois, avec le même amoureux, quelques jours plus tard, qui l'a davantage marquée.

— Mentalement et émotivement, j'étais présente. Ç'a été difficile au début et finalement... il y est arrivé. Je me souviens que j'étais un peu honteuse, parce que j'avais beaucoup saigné. Il y en avait partout sur les draps. Une scène de meurtre n'aurait pas été différente. Que ce soit la première fois, où je ne me souviens de rien, ou la deuxième, je ne considère pas que j'ai donné quoi que ce soit à qui que ce soit. Je ne me suis pas dit : « Oh, j'espère avoir donné ma virginité à la bonne personne », comme s'il était parti avec et ne savait plus quoi en faire. Après ça, quoi ? Je n'ai rien à offrir au deuxième ? Ce n'est pas un truc que tu encadres pour l'accrocher au mur. Le mot « virginité » est médical et signifie que l'hymen est intact. Ça ne veut rien dire d'autre !

— En tant que garçon, je peux te dire que nous y pensons pendant toute l'adolescence. Ce n'est pas vrai pour les filles ?

— Bien sûr que tu réfléchis à cette question quand tu es jeune. La façon dont on est élevées nous y oblige. Tu te demandes « À qui je vais donner ça ? » comme si c'était un cadeau magique et qu'il fallait choisir la personne spéciale à qui l'offrir. À cet âge-là, tu as l'impression qu'une fois que tu l'auras donné, ce sera fini. Et, si c'est raté, tu auras des regrets parce que tu n'auras plus de beaux cadeaux à offrir. C'est terrible comme pensée à mettre dans la tête des petites filles. Et toi, comment ça s'est passé ?

Je lui confie que moi, à vingt-deux ans, j'ai donné ma virginité à Fagiolina, une amie qui m'avait déjà dit : « Quand tu seras prêt, je serai là. » C'était la première à me l'offrir sans le demander. Une copine, auparavant, avait essayé de forcer les choses, mais le rideau n'avait pas levé. Il aurait pu y en avoir une autre avant Fagiolina, celle qui m'a appris bien malgré elle l'amour, mais bien malgré moi aussi à pleurer... Un deuil que j'ai mis des années à mettre derrière moi.

— Tu me racontais le défi d'étudiants qui voulaient décrocher la palme de celui qui avait couché avec le plus grand nombre de vierges. Crois-tu que ces jeunes femmes ont gardé un grand souvenir de leur première relation ? J'espère que cela n'a eu aucune importance dans leur vie et qu'elles ont eu une vie sexuelle riche qui les a comblées. La sexualité est comme un feu qui prend vie. Plus tu alimentes le brasier, plus tu te donnes, plus tu reçois. Selon l'occasion, tu peux faire brûler un grand ou un petit feu, c'est toi qui décides. Chaque fois que tu fais l'amour peut être spéciale. C'est moi qui décide si l'occasion est importante ou non.

Je sens que MissMe est partie pour me parler de cul de front.

— On lit dans les livres ou dans les articles de magazines les aventures d'hommes qui se vantent d'être les meilleurs amants du monde parce qu'ils ont couché avec des milliers de femmes. Crois-tu que ce soit vrai ? J'en ai eu, des vantards, dans mon lit et je peux te dire qu'ils sont particulièrement médiocres parce qu'ils s'en foutent carrément. Ils n'apprennent jamais à connaître l'autre personne. Ils n'ont jamais la chance de s'améliorer et de développer une complicité avec leur partenaire. Ils ont juste couché avec plusieurs corps de femmes. C'est triste. Alors, imagine les pauvres femmes qui leur auraient soi-disant « donné leur virginité ». Ce serait un vrai gâchis si ce mythe avait de l'importance. Quand tu fais l'amour avec la même personne pendant des années, il y a un processus d'apprentissage et, surtout, il y a également une communion bien au-delà de l'acte lui-même. Tu peux aussi te retrouver dans un état d'intimité profonde avec un partenaire, même si les émotions n'y sont pas. Dans la relation, il faut simplement se soucier de l'autre, sinon c'est un gaspillage de sueur !

Là, on s'est retrouvés et compris, MissMe et moi. Faire l'amour à la même personne pendant plus de dix ans te donne un cadeau que la plupart des gens qui couchent pour coucher ne connaîtront jamais. La relation évolue et ne peut que s'améliorer avec le temps. Ce n'est pas une question de minutes, mais d'années passées à mieux se connaître.

Oncle Pat,
le don à l'étrangère

Quand on me demande pourquoi je préfère visiter Dublin plutôt que les autres capitales européennes, je réponds spontanément que j'ai le feeling que les Irlandais sont plus heureux de me recevoir chez eux. Je sais bien qu'en déclarant cela je risque de généraliser, mais tout de même, lors de mes séjours à Rome ou à Paris, je sens une certaine lassitude face aux touristes qui s'égarent et demandent leur chemin. Bien sûr, si l'intérêt est de visiter de grands musées ou de fréquenter les lieux historiques de la planète, en personne plutôt que par encyclopédie interposée, il est difficile de surpasser la fontaine de

Trevi ou la Seine. Voilà une façon classique et convenable de voyager, mais ça fait touriste en titi. Les routards qui s'aventurent hors des sentiers battus et découvrent de nouveaux quartiers ont bien davantage la possibilité d'entrer en relation avec la gent locale. Eh bien, ceux-là seront comblés chez les Dublinois. Pour s'intégrer à la vie quotidienne, boire avec les natifs, rencontrés par hasard dans un bar ou un café, rien ne se compare à la ville de Dublin.

Alors que Lynda, Léo et moi séjournions dans les environs de la capitale irlandaise, son oncle Pat, un Dublinois de souche, nous y a rejoints. Il voulait nous emmener faire un tour de voiture vers Kilmore Quay. Je dis « vers » parce que je vous défie de trouver une voie qui mène en ligne droite... n'importe où en Irlande. Chaque route, semblerait-il, est dessinée en serpentin. S'il y a un chemin, à partir de là, qui mène à Rome, comme le veut l'adage, je ne l'ai pas repéré.

Laissez-moi commencer ce périple par une petite suggestion : si vous visitez la côte sud-est de l'Irlande, arrêtez-vous au Saltee's Chipper. Vous y mangerez le meilleur *fish and chips* de votre vie. (Nous venons de dépasser les trois cents mots de ce chapitre et déjà vous avez reçu un don, mais ce n'est pas celui sur lequel je souhaite écrire. Oncle Pat est le personnage principal de cette histoire.)

J'ai rencontré Pat il y a presque dix ans, lors de ma première visite dans son pays. Je le percevais différemment à l'époque. Je voyais un homme qui vivait seul et un peu renfermé sur lui-même. L'oncle Pat boite depuis qu'à l'âge de onze ans il a contracté la polio dans une salle d'urgence d'hôpital. Toute sa vie adulte, il a sautillé d'un emploi à l'autre sans jamais vraiment trouver ce qui lui convenait. Dans le temps, son sourire n'était pas aussi radieux qu'aujourd'hui. À l'aube de ses soixante ans, il a toujours sa démarche boitillante, mais sa contenance s'est transformée. Il est devenu un homme différent, rayonnant.

Toujours en route vers Kilmore Quay, Pat, au volant de sa voiture adaptée, nous raconte une histoire énigmatique qu'il a vécue récemment. Il habite Portlaoise, une ville située à quatre-vingts kilomètres de Dublin. Roulant au centre-ville, il repère du coin de l'œil une dame qui marche en boitant comme lui. À tous les deux pas, une de ses jambes s'élance en coup de fouet. Pat reconnaît immédiatement la polio dans sa démarche.

— Une étrangère en difficulté, se dit-il. Je vais aller l'aider.

Ce n'est pas un endroit où Pat peut arrêter sa voiture. Le temps de faire trois virages à droite et de revenir à sa hauteur, elle s'était volatilisée.

— J'ai sillonné, en voiture, une partie du quartier sans la retrouver, ajoute-t-il, déçu.

Quelques semaines plus tard, Pat voit de nouveau la jeune femme à la démarche claudicante avançant avec difficulté. Pas question de faire le tour du pâté de maisons cette fois-ci. Il se gare illégalement afin de ne pas la manquer.

Pat s'est approché et lui a tendu la main. L'un et l'autre ont rapidement constaté qu'ils avaient au moins une chose en commun, mais ils se sont aussi vite aperçus qu'ils ne se comprenaient pas. Elle est allophone alors que lui parle anglais et mâchouille le gaélique irlandais. Ils se sont compris dans le monde des chiffres et ont échangé leurs numéros de téléphone.

Dès le lendemain, Pat prend les choses en main. Il parvient à l'inscrire à une association nationale venant en aide aux personnes atteintes de polio, le Post Polio Support Group (PPSG). Le congrès annuel de l'organisme, justement, se tiendra dans quelques semaines. Pat propose d'aller la chercher et de s'y rendre ensemble.

Le matin de l'événement, il est garé devant la demeure de la jeune femme et l'attend. En claudiquant, elle se dirige vers la voiture, trébuche et tombe lourdement.

— Elle n'avait pas de bâton de marche, alors je me suis dit qu'il faudrait lui en trouver un. Nous avons fait un arrêt chez moi. En arrivant à la porte, j'ai été surpris de voir qu'elle m'avait suivi. Je ne m'y attendais pas et j'en étais mal à l'aise. Mes voisins allaient-ils penser que j'avais fomenté un plan pour attirer cette jeune femme chez moi et profiter d'elle ? Elle est entrée dans le salon et, pendant que l'eau chauffait pour le thé, elle m'a attiré vers l'ordinateur. Je me suis installé et j'ai commencé à taper en anglais les mots que la technologie traduisait instantanément. Nous pouvions enfin communiquer.

Il en a découvert, des choses ! Cette gentille personne, coiffeuse de son métier, est arrivée il y a quelques années d'Afrique. Elle a été chassée par sa communauté parce qu'elle coiffait de hauts dirigeants du gouvernement. Elle se serait sauvée in extremis par la porte arrière du salon de beauté pour se rendre directement à l'aéroport. Un ou deux avions plus tard, elle obtenait un statut de réfugiée en Éire.

Pat prend toutes les précautions pour ne pas révéler son nom, sa ville ou même son pays d'origine, car sa nouvelle amie craint d'être pourchassée jusqu'en Irlande. Quelques semaines après notre entretien, il m'a écrit pour me le rappeler : « Il ne faut rien dévoiler de son identité. » Je me moque gentiment de ses inquiétudes exagérées en discutant avec ma chère Lynda, qui n'aime pas que je taquine l'oncle pour lequel elle a un faible.

— Tu aurais fait comme lui, qu'elle me dit.

— Mais bien sûr, chérie. Je te taquine. Plus on est de paranoïaques... mieux le monde se portera !

Blague à part, j'étais intrigué par le fait que l'homme plutôt introverti que je connaissais soit sorti de ses habitudes pour secourir une personne qui marchait incognito sur un trottoir.

— Nous côtoyons un grand nombre d'immigrants par ici, dit-il. Plusieurs réfugiés viennent de différents pays d'Afrique, de Syrie et d'autres pays où les choses ne vont pas bien. Heureusement, les Irlandais n'ont pas d'animosité contre ces braves gens. Nous faisons tous de notre mieux pour les aider.

— Pourquoi lui as-tu donné ta canne ?

— J'avais un bâton qui ne me servait pas. Pourquoi ne *pas* le lui donner ? Voilà la vraie question. Elle ne savait pas qu'il existe des ressources pour l'assister. Je considère comme une honte que le système de santé ne l'ait jamais même informée. La triste vérité est que le système fonctionne à peine pour ceux qui sont nés ici, alors imagine pour ceux qui viennent d'arriver... Si le hasard ne les met pas sur le chemin de nos organismes, ils ne peuvent pas profiter de leur soutien.

Pat est atteint de polio depuis un demi-siècle, mais il vivait sa maladie en solo. Il ne s'est pas rapproché des sept cents personnes inscrites au PPSG avant tout récemment. Dès la première rencontre, il a été convaincu de son utilité. Les membres se réunissent ponctuellement pour jaser du climat, du quotidien, et raconter leurs expériences. Ça leur fait du bien, selon Pat, de savoir qu'ils ne sont pas seuls.

— On peut beaucoup apprendre de la souffrance des autres, explique Pat. Par exemple, le syndrome post-polio frappe souvent les personnes âgées. Quand une jambe est affaiblie par la maladie, la deuxième jambe compense. À la longue, les muscles peuvent s'atrophier et la personne qui marchait se trouve réduite à se déplacer en fauteuil roulant. Il faut se parler de ces réalités. C'est la meilleure façon d'entrevoir notre vieillesse et de faire face aux difficultés qui touchent la plupart d'entre nous.

— Qu'est-ce que cela t'apporte d'aider de cette façon ?

— La satisfaction est la même pour n'importe laquelle des gentillesses, que ce soit soutenir le bras d'une vieille dame et porter son sac d'épicerie en traversant la rue ou informer un passant qui cherche son chemin : aider me donne un bon feeling. Quand j'étais petit, mes parents et mes professeurs me l'ont enseigné : aide ton prochain. Si on éduquait nos enfants selon ce principe, ces gestes seraient plus naturels et la société n'en serait que meilleure.

Je trouve cette histoire plaisante parce qu'elle est d'une banalité presque charmante. Un homme s'est arrêté, est descendu de sa voiture pour aider une femme étrangère, une immigrante. Il pensait qu'elle pourrait bénéficier de son expérience et de ses connaissances. Il n'y a rien d'exceptionnel, n'est-ce pas ? Mais je me suis demandé, en y réfléchissant : combien d'entre nous auraient fait ce geste ? La dernière fois que vous avez interrompu votre course effrénée de personne du XXIe siècle pour faire une banale bonne action ? Pour aider cette vieille dame à traverser la rue en portant son sac d'épicerie ? Quand j'étais chez les louveteaux, on devait comptabiliser nos B. A. Trois décennies plus tard, la leçon est encore bien ancrée. Une de mes activités préférées est d'aborder les touristes qui visitent mon quartier. Ils sont faciles à repérer, carte à la main et regard confus. J'aime bien les saluer et offrir quelques recommandations de lieux cools moins connus du Mile End ou de La Petite-Patrie. L'information salutaire : comment différencier la pizza classique de la Bottega de la recette nouveau genre de Gema.

En cette année de festivités du 375e anniversaire de Montréal, bien accueillir les étrangers est encore plus important. Et comme, à Montréal, un beau coucher de soleil est une raison suffisante pour célébrer, pourquoi ne pas fêter le soleil levant ou le 378e anniversaire post-Hochelaga ? En d'autres mots, toutes les raisons sont bonnes pour se montrer accueillant envers l'autre. Il ne faut que tendre la main et dire bonjour ou engager une conversation, même si elle doit se dérouler en gesticulant. Comme Pat l'a raconté, il suffit souvent d'un petit effort pour faire une différence importante dans la vie d'un autre.

Steve,
le don de la seconde chance

J'ai compris assez jeune que j'étais élevé par des toxicomanes. Mes parents n'étaient pas tout croches au point de consommer devant moi. Ils se cachaient pour fumer des joints et sniffer, mais je les entendais. Mon père cassait sa poudre, une ligne à la fois, et toussait comme un débile à cause des joints qu'il fumait. Mes parents ne se tapaient pas dessus, mais ils se chicanaient continuellement. Je peux dire que j'ai vu à quel point la coke a détruit mes parents et tous leurs chums.

Mon père sniffait de la cocaïne et en vendait, tandis que ma mère était alcoolique et fumait du crack. Pendant des années, elle disparaissait pour deux ou trois semaines et revenait en général complètement soûle.

Elle s'appelait Lorraine et elle était ma meilleure amie. Quand j'étais en quatrième année, elle a dessiné sur le mur au-dessus de mon lit le portrait du chanteur de Metallica. Elle me traduisait toutes leurs tounes. Quand j'ai commencé à écouter du rap, elle me traduisait les textes. Je l'adorais.

Malgré tout, j'ai eu une maudite belle enfance. Quand je dis que mes deux parents étaient toxicomanes, ça a l'air plus gros que ce ne l'est. C'était du bon monde. Mes parents étaient plus ouverts d'esprit que bien d'autres. Je ne changerais pas mon enfance pour rien.

J'ai commencé à fumer du pot à onze ans. À partir de l'âge de seize ans, je vivais avec mon père dans des maisons où poussait de la marijuana et nous étions payés pour nous occuper des plants. J'avais un ostie de stress. On était au fin fond des bois et les gars ne me laissaient pas sortir. Mon père, le crisse, lui, n'était jamais là. Quand est arrivé le temps de me faire payer les seize mille dollars qu'ils me devaient, ils m'ont crossé.

J'avais perdu de vue ma mère quand j'avais quatorze ans pour la retrouver à dix-sept ans. Un ami m'avait téléphoné pour me dire qu'elle était en première page du journal Allô Police. J'ai vu la face de ma mère tout ensanglantée avec un gros titre en majuscules : « Même inconsciente, ils continuaient à la tabasser ».

*Je suis allé habiter avec elle. Six mois plus tard, je com-
mençais à fumer du crack. À l'époque, pour quarante
piastres, je conduisais des filles qui travaillaient comme
escortes. Des amies de ma mère qui passaient beaucoup
de temps chez nous. L'une d'elles m'a initié au free base
et c'est de même que ça a commencé. J'ai fait la fête et, le
lendemain, je me suis retrouvé avec une aiguille dans le
bras. J'ai tout de suite aimé ça. On aurait dit que le bon
Dieu me faisait un câlin.*

*Durant cette période, j'ai beaucoup appris. Tu achètes
de la cocaïne en poudre que tu mélanges avec de la
« petite vache » et de l'eau. Ensuite, tu chauffes dans
une cuillère. Si c'est une grosse quantité, tu te sers
d'une chaudière. Tu prends ton briquet et tu fais
bouillir jusqu'à ce que ça se transforme en une goutte
d'huile. Séché, ça devient dur comme de la roche. Voilà
le crack.*

*Avant, le vrai crack était cuit à l'ammoniaque, ce que
tu ne peux plus trouver aujourd'hui. Sauf dans le
Spray Net, mais on n'est pas des chimistes. Juste pour
vous dire, la dernière fois qu'on a fait analyser un
échantillon de coke à Montréal, il y avait zéro pour cent
de cocaïne. Que du synthétique. Il n'y a plus de coke
dans votre coke. C'est un mélange de plein de produits
chimiques dégueulasses. Quand je pense qu'il y en a
qui se shootent ça, en plus !*

*Donc, j'ai été chauffeur pendant presque une année. J'ai
vite crissé mon camp parce que j'étais sur le bord de me*

221

faire tirer. Des gars d'une gang rivale pensaient que j'étais pimp et dealer et que j'opérais dans leur secteur.

Je me suis retrouvé dans la rue au centre-ville de Montréal avec rien du tout, sauf sept grammes de cocaïne que j'avais volés. Mon père vendait de la drogue, dans ce temps-là, et je savais qu'il gardait son stock dans une bonbonne de propane. Pendant huit ans, après ça, on ne s'est pas parlé. Il était en tabarnak. Ça valait au moins six mille piastres et je l'avais toute consommée.

C'était un nouveau monde pour moi, auquel je me suis vite adapté. Au bout de deux semaines, je courais après l'argent, je consommais et je vendais de la dope. J'ai volé à l'étalage, mais jamais dans les maisons, parce que ça m'était arrivé : les voleurs étaient partis avec une boîte de cassettes, du vieux Metallica et du Wu-Tang, mon rap préféré.

Quand t'es toxicomane et que tu arrives en prison, les autres prisonniers ont pitié de toi et ils t'aident. Ils savent que tu vas vomir pendant quatre ou cinq jours. J'étais surpris de la solidarité qu'il y avait. Je me souviens d'avoir entendu mes voisins crier : « Faites de quoi, il va crever ! »

Voilà à quoi ressemble le sevrage. L'héroïne, ça prend tellement de temps. Le matin, j'étais malade comme un chien. Une douleur quasi indescriptible. Après douze heures, le nez commence à te couler, tu as des frissons, sans répit. Encore quelques heures et tu éternues à répétition. Pas longtemps après ça, tu te mets à dégueuler.

Certains se chient dessus, les pauvres. Tu as mal au ventre comme si ça faisait des mois que tu n'avais pas mangé. Et manger, en passant, t'en es incapable. Tu ne peux pas supporter que l'on t'effleure même du petit doigt. Prendre une douche serait comme des lames de rasoir qui te tomberaient dessus. T'as les yeux noirs, t'es allumé raide, et les gardiens le savent. Ils t'emmènent à la clinique et, si tu leur dis que tu fais de l'héroïne, ils te rient en pleine face. Avant, ils te donnaient des pilules, un relaxant musculaire ou deux pour dormir, mais, depuis quelques années, ils ont arrêté. Ils te disent : « C'était à toi de ne pas consommer de drogue, retourne dans ta cellule. »

Seul le sevrage d'alcool est pire. Les vrais alcooliques qui boivent du fort en se levant peuvent avoir le delirium tremens. Ma mère, quand elle ne buvait pas, elle était agitée, elle tremblait des mains à n'en plus finir et elle vomissait. Un alcoolique peut mourir d'un sevrage. L'héroïne, tu as l'impression que tu vas mourir, t'en es certain, mais tu ne peux pas mourir.

Ma mère est décédée d'une cirrhose du foie en 2012. À cette époque, j'étais en cure de désintoxication. J'attendais une autorisation de la Cour afin d'aller la voir. Pour une raison humanitaire qu'ils appelaient ça. Ma mère est morte avant que la permission arrive. Ç'a été dur, même si je savais que vivre n'était pas une sinécure pour ma mère. J'espère qu'elle est heureuse maintenant.

C'était ma première cure, j'avais vingt-neuf ans. Je ne croyais pas à ça avant. Ma mère avait fait plusieurs thérapies sans que ça fonctionne. On m'avait arrêté pour trafic d'héroïne et j'avais obtenu une thérapie. J'y allais de reculons en ostie. C'est mon avocat qui m'avait convaincu.

Je me disais, en prison, que jamais plus je ne retoucherais à cette maudite drogue, mais, quatre jours plus tard, je suis sorti moyennant une caution de mille piastres, et c'est sûr que j'ai consommé.

Beaucoup de gens commencent à faire de l'héroïne après une prescription du médecin. Ceux qui vendent de l'héroïne font juste répondre à une demande. Les docteurs, c'est pire que ça. Ils prescrivent de la morphine et ils ne te disent pas que tu vas être malade et plus capable d'arrêter. Quand j'en vendais, j'ai été surpris de voir que, sur une centaine de mes clients, soixante-quinze pour cent avaient d'abord reçu des prescriptions. J'avais des gars de la construction, une avocate et deux ou trois infirmières. Il y avait juste une poignée de vraiment tout croches, qui quêtaient dans la rue pour se payer de l'héroïne.

Eux comme moi, on fait face aux ostie de préjugés. Ça commence dans les médias. Ce qu'ils montrent, ce sont des gens pétés raides, alors qu'il y a une grosse clientèle invisible de personnes qui fonctionnent normalement. Je connais des gens qui, avant, prenaient quatre sortes d'antidépresseurs, des antidouleurs, et ça leur coûtait une fortune. Astheure, ils font un point d'héroïne par jour et ça va. Comprenez-moi bien, je ne suis pas pour *l'héroïne. Ça a tué du monde et fucké ma vie. Mais d'autres s'en sortent très bien avec leur consommation. Je connais un gars, un grand brûlé. Il y a juste l'héroïne qui lui fait du bien.*

J'en ai fait souvent, des sevrages : chaque fois que je me suis fait arrêter. Finalement, ç'a été une bonne affaire, d'aller en prison. Ma patronne s'est fait tuer pendant une livraison. Si j'avais été dehors, c'est moi qui me serais fait tuer. J'ai pleuré pour elle, même si elle se câlissait de moi.

Après plusieurs tentatives de sevrage, ton corps n'est plus capable. Moi, je vomissais du sang. Je me suis dit qu'il me fallait un programme de méthadone. J'ai fait une demande au CRAN – le Centre de recherche et d'aide pour narcomanes. Trois semaines plus tard, j'ai abouti chez Méta d'Âme (metadame.org). J'ai été chanceux, ça a changé ma vie! C'est une association qui vient en aide aux personnes dépendantes des opioïdes et qui suivent un traitement médical pour leur dépendance. Grâce au centre de jour, aux logements avec soutien communautaire, Méta d'Âme est comme un pont entre la rue et le traitement. Le soutien est organisé par des pairs, comme moi, qui sont passés par le même chemin. Ils appellent ça l'autohabilitation, l'« appropriation du pouvoir d'action par les personnes concernées ». Comme ça, les toxicomanes apprennent à s'aider eux-mêmes. Qui peut les comprendre mieux que moi ?

Je me retrouve dans le monde de toxicomanes dans lequel j'ai grandi. Maintenant, mon job, et c'est mon job de rêve, c'est d'aider le monde de la rue à sortir de la rue, et je réussis. Je n'ai jamais été si heureux. Je sais que je suis fragile et très sensible. Je ne vois que de la misère tout le temps et je m'attache trop aux personnes.

C'est miraculeux, ce qui m'arrive. C'est pour ça que je veux le faire. Il y a des gens, comme à l'association, qui ont choisi d'être là juste pour t'écouter et te sauver. Ils ne te jugent pas et ça change tout pour quelqu'un. J'en fais dorénavant partie et je suis tellement bien. C'est valorisant et je me rends compte que je peux soutenir ceux qui, comme moi, veulent s'en sortir. Il a fallu que je vive ce que j'ai vécu pour avoir cette chance.

Donner aux autres me garde sur la bonne voie, finalement. Et je pense que ça va durer.

Kerry,
le don de l'espoir

Il ne m'arrive pas souvent de ne pas savoir comment commencer. Toute ma formation journalistique fut concentrée à développer l'habileté de bien amorcer l'histoire que je veux raconter. On appelle ça l'incipit, en édition, la phrase seuil.

Ce principe s'applique à tout écrit, une nouvelle, un roman, aussi bien qu'à la musique. Camus, par exemple, a pondu l'incipit probablement le plus connu de la littérature française dans son roman *L'étranger* : « Aujourd'hui, maman est morte. » Ces quatre mots m'ont heurté, ils me sont rentrés dedans. Inoubliables, du génie...

Que dire de Kerry, sinon, d'entrée de jeu, qu'il est l'homme le plus intéressant que j'ai rencontré de toute ma vie ? Nous voici chez lui, dans sa maison de style victorien qui me fait voyager dans le temps. De mon perchoir sur le sofa, j'admire, face à moi, des murs dignes d'un musée auxquels aucune description ne rendrait justice. Et nous allons discuter philosophie en général, et don plus particulièrement.

Titulaire d'un Ph. D., Kerry est un multidiplômé qui enseigne l'éthique à l'Université de Toronto. De plus, c'est un expert de la fin de vie. Il œuvre aussi à l'hôpital Mount Sinai. Il aide les mourants et leur famille à mieux accueillir la mort.

Dans un conflit, il arbitre toujours pour atteindre le juste milieu et faire avancer les dossiers.

Écologiste et conservationniste de renommée internationale, il a produit des documentaires, signé des études érudites, contribué à des ouvrages savants. Ses expériences uniques, ses réalisations remarquables le rendent incomparable.

Je ne vous mentionne que quelques exemples : Kerry est le premier à être entré en contact avec une tribu jamais approchée par la civilisation moderne. Il s'est fait déposer, par barque, sur les rives d'une île. Il s'est couché sur la plage et y a passé la nuit, sachant qu'à une quinzaine de mètres, derrière le mur végétal opaque de l'entrée de la jungle amazonienne, on l'observait. Probablement avec des sarbacanes chargées de fléchettes empoisonnées braquées sur son cul, euh, son cou. Bien sûr, l'histoire se termine bien. Il a tendu la main (c'est une image) au chef et a pu intégrer la tribu. Certes, il a dormi avec les cochons dans leur enceinte, mais ce sont des amis maintenant, quasiment...

Kerry agit comme consultant international dans le cadre de programmes de protection des espèces en péril; il a notamment observé dans leur habitat naturel les chameaux de Bactriane dans le désert de Gobi, les léopards des neiges en Inde et les grands singes en Indonésie et en Afrique centrale. Quand la célèbre primatologue Jane Goodall boit le thé au Canada, c'est chez lui. Si les Nations unies cherchent un expert pour établir des relations avec la Corée du Nord, son téléphone sonne. Discuter du renouveau perse en Iran, oui, encore lui. On peut le considérer comme l'ambassadeur de notre conscience collective. Son quotidien est composé de batailles pour le bien commun. Malgré le poids de ses responsabilités, quand notre fils Léo est né et qu'il a passé une semaine aux soins intensifs, Kerry a pris l'avion pour être auprès de nous.

Albert Camus l'aurait introduit autrement, mais je pense que je vous ai assez correctement présenté le personnage de mon texte.

Je vais essayer de traduire, un mot à la fois et le tout en séquence, ce que Kerry m'a dit sur le don, après m'avoir préparé un martini. Pas un martini secoué, parce que, le saviez-vous ? c'est bien mieux de le remuer. Si, si, Fleming a eu tort... vous le demanderez à votre barman. Kerry, j'aurais pu le deviner, lui, le savait.

Voici comment j'ai lancé la conversation :

— En quoi est-ce bon pour les humains de donner aux œuvres de charité qui ne se préoccupent que du monde animal ?

— Eh bien, il y a une hypothèse qui se propage selon laquelle les humains et l'environnement ne font qu'un. Par exemple, vous choisissez un organisme qui vient en aide aux animaux, et vous constaterez que les membres sont aussi préoccupés par les communautés humaines qui vivent tout autour, par leurs besoins de nourriture et d'eau. Les études menées par les pays occidentaux montrent que n'importe quelle communauté qui ne parvient pas à combler ses besoins de base – l'eau, la nourriture, l'éducation – souffrira énormément.

— Sauver les rhinocéros de Sumatra, quelle incidence cela peut-il avoir sur ma vie à Montréal ?

— C'est le phénomène mondial de la biodiversité. Le nombre d'espèces de plantes et d'animaux est en train de chuter, de chuter et de chuter encore, à cause de la dégradation de l'environnement... Si le don que tu as fait pour la protection des orangs-outans se rend jusqu'à des associations de Bornéo ou bien de Sumatra, le lien est énorme. Prends l'huile de palme qui se retrouve dans nos dentifrices, nos shampoings, nos produits ménagers. Il y en a partout. Les forêts d'Indonésie disparaissent peu à peu là où s'installent des plantations de palmiers à huile. D'une part, c'est nuisible à l'habitat naturel des orangs-outans et des espèces qui y vivent. D'autre part, cela contribue aussi aux émissions de CO_2. Et le changement climatique nous affecte tous. Selon moi, une forêt dégradée en Indonésie pourrait avoir des conséquences peut-être même plus importantes que la dégradation d'une forêt au Canada.

La voilà, la connexion. Et il ne s'arrête pas là.

— Le défi, avec les dons en argent, tient dans la façon dont nous réussirons à surmonter la méfiance des gens qui se demandent comment on s'en servira. Beaucoup de gens souhaitent donner, mais ils ne veulent pas se faire prendre pour des cons. Ils se soucient aussi du ratio des coûts administratifs et opérationnels. Ce n'est pas toujours de l'égoïsme de ne pas donner. Il faut vraiment être vigilant. Les organismes doivent être imputables et informer les donateurs sur les programmes qu'ils mettent en place et les résultats obtenus. Il n'y a pas de tiers partis qui les surveillent. Pour la plupart, les vérifications sont faites à l'interne, ce qui est un problème. Pour faire en sorte que les gens donnent davantage, il faudrait les rassurer sur l'utilisation de leur argent. Il serait bien, aussi, de pouvoir évaluer et classer les nombreuses associations et fondations de tout genre.

Haïti est un bon exemple pour les Canadiens, ou un mauvais. Ça dépend de l'angle sous lequel vous regardez. Le désastre était si horrible qu'énormément de gens ont donné en étant certains que tout allait être honnêtement géré. Quelques années plus tard, nous découvrons que rien n'a été fait correctement et que des sommes énormes ont disparu. Ce n'est pas pour encourager les dons. En même temps, je dirais qu'ils sont nombreux à utiliser ces exemples négatifs pour justifier leur manque d'implication. Ils se disent : « Il y a tellement de corruption que je ne donnerai pas parce que mon argent va disparaître on ne sait où. Ce n'est même pas la peine d'y penser, ça n'atteint jamais le but. »

— Comment les approcher, alors, les personnes méfiantes ?

— C'est leur argent, il n'y a rien à faire... Donner est un geste qui recèle une certaine profondeur. Ça vient du cœur et du sentiment de contribuer à changer le monde. On ne peut pas s'en remettre aux gouvernements pour aider ceux qui sont dans le besoin. C'est utopique, à l'échelle nationale ou internationale, de s'attendre à ce que nos gouvernements ou ceux de n'importe quel pays soient aptes à relever ces défis. Le gouvernement canadien, comme la plupart des gouvernements occidentaux, accorde peu de subventions pour régler les problèmes de maladie et de pauvreté dans le monde. Je crois que le temps est arrivé que la population se conscientise et s'engage sans attendre l'État.

— Tu veux dire microdonner? Comme financer une école ou parrainer un étudiant prometteur?

— J'irais plus loin que ça. Ça dépend vraiment de la personne que tu es, de tes valeurs et de ce en quoi tu crois. La meilleure chose pour trouver une cause, un programme auquel tu croiras, est de voyager dans ce coin du monde, d'aller voir de tes propres yeux. Mais tout le monde ne peut pas faire ça. Comme les besoins ne feront que croître au XXIe siècle, c'est le temps d'agir maintenant, de se demander ce qu'il faut faire et par où commencer.

— Est-ce que l'argent est toujours la meilleure chose à donner?

— Ça dépend de l'individu. L'argent ou le temps. Ceux qui n'ont pas d'argent à donner peuvent faire profiter de leurs aptitudes, soit en se joignant à un conseil d'administration, en prêtant la main à un projet particulier ou en donnant des heures de travail. Il n'y a pas de règle de conduite. Les gens doivent découvrir qui ils sont, en quoi ils croient et comment ils peuvent contribuer, chacun individuellement.

— En fait, le don a plus à voir avec l'individu qui donne qu'avec la cause elle-même?

— Oui, et c'est bien normal. Si tu fais le bien en te concentrant sur ce à quoi tu aspires et ce que tu as à offrir, tu fais la bonne chose. Avec le changement climatique, l'instabilité politique et le nombre grandissant de réfugiés dans le monde, les structures actuelles pour gérer les nouvelles situations sont inadéquates et pourraient être sur le point de s'effondrer. Je pense que nous avons besoin d'un mouvement social, d'une prise en charge collective où chacun se dirait : « Je veux aider. Que dois-je faire ? » Nous devons neutraliser les approches organisationnelles verticales, qui ne fonctionnent pas. Retourner à la base est la meilleure façon de procéder. En République démocratique du Congo, on ne pouvait pas s'attendre à ce que les dirigeants au gouvernement règlent la crise dans le secteur minier et le problème de la déforestation. La solution n'était pas là. Ce sont les chefs de village qui se sont responsabilisés. Ils se sont demandé comment préserver leurs forêts, maintenir un environnement équilibré où l'on pourrait chasser, se procurer du bois... Ils ont lancé des initiatives individuelles et collectives axées sur la survie du village. Comment semer pour combler leurs besoins en nourriture ? Comment récolter sans nuire à la forêt, comme cela se faisait avant le colonialisme ? Avec le temps, ces interventions doivent se tisser les unes aux autres pour consolider les acquis. Ce devra être comme ça partout dans le monde.

— Faire comme si les gouvernements n'existaient pas ?

— Ouais. Au Congo, le gouvernement ne joue pas son rôle et nos dirigeants occidentaux n'en font pas plus. Ils sont plus préoccupés par les oléoducs et les questions économiques. La taille du problème est gigantesque si l'on considère en plus que la population mondiale est en croissance. Exploiter notre planète a ses limites, il est donc capital d'agir maintenant si nous voulons survivre. Je sais que je donne l'impression d'être alarmiste, mais nous devons très vite prendre en main la situation. Et ça doit venir du peuple, de chacun d'entre nous. Je prédis qu'il y aura un mouvement en profondeur, plus de dons, et que l'on attaquera ce défi de bas en haut et non l'inverse.

— Buvons un autre martini, et dis-moi comment le don a changé selon toi.

— Quand j'étais enfant, à l'école catholique, le message était simple : « Donner aux pauvres. » C'était une obligation morale, aider ceux qui souffraient de la faim, ceux qui étaient démunis de toutes les chances de s'en sortir, ceux que l'on traitait comme une sous-espèce de personnes. Ceux-là ne faisaient pas partie de notre monde... Alors, on cherchait dans le fond du garde-manger et on donnait des boîtes de fèves de Lima. Ça se conserve si bien. C'est pour une autre catégorie d'humains : les pauvres. C'était une façon vraiment incompréhensible d'élever des enfants. Le message qui leur était transmis sur les causes de la pauvreté et la façon de l'éliminer était déformé. Chacun donnait comme il le pouvait. On a aujourd'hui une connaissance beaucoup plus profonde de l'interaction entre la population, l'environnement et l'économie. On sait que, en protégeant les droits de n'importe qui, on protège les droits de tous. C'est comme ça que je perçois le don, aujourd'hui.

— Tu ne trouves pas que, de nos jours, le don est devenu étroitement lié au marketing ?

— Tout à fait. Quand je vais à l'épicerie, on me demande à la caisse si je souhaite donner à telle œuvre. Je ne connais aucun de ces organismes ! Je n'ai aucune idée d'où ira l'argent ! Quand je le demande, très poliment, le caissier ne peut me répondre. Il y en a un qui m'a même répondu : « Qu'est-ce que j'en sais ? On exige que je le demande aux clients, c'est tout. » Voilà une campagne qui manque sa cible et que l'on devrait cesser.

L'exemple de Kerry me fait penser à mon expérience au magasin Toys "R" Us. Chaque fois que je passe à la caisse payer mon Lego – euh, le Lego de Léo –, on me demande si je souhaite faire un don de deux dollars à une œuvre quelconque. Je suis toujours tenté de me retourner et d'observer autour de moi si, quand je dirai « Non, merci », les douze personnes en file derrière moi me trouveront radin.

— L'important demeure de bien se renseigner. Choisis quelque chose qui fonctionne pour toi, auquel tu crois, et reste bien informé sur les activités de cet organisme. Ensuite, décide. Donner en réaction à la culpabilité est différent de donner pour aider. Une décision qui doit être réfléchie et éclairée.

Je ne savais pas comment commencer, mais Kerry, lui, sait quand c'est terminé. Il n'y a plus d'olives pour nos martinis...

Conclusion
Cette année,
j'ai beaucoup reçu

En explorant le sujet du don, je ne m'attendais pas à tant recevoir. J'ai eu la confirmation que je n'étais pas si fou de me lancer dans cette aventure. J'avais déjà la tête de cochon, le cœur d'artichaut et une propension naturelle à questionner et à écouter.

En plus, tous ces récits ont suscité en moi une nouvelle curiosité. Je suis d'ailleurs tombé par hasard sur un passage intéressant de la Torah. Selon ce livre sacré, l'acte de donner aux démunis, l'aumône, se nomme la *tsédaka*. On traduit habituellement ce mot par « charité », mais son équivalent serait plutôt « justice ». Pourquoi ? D'après Moïse Maïmonide, la vraie justice est d'offrir ce que Dieu nous a confié.

Vous l'aurez deviné en lisant « Sterling, le don planifié », je ne suis pas le plus croyant, mais je trouve une indéniable vérité dans les paroles attribuées à ce philosophe : le don prend toutes les formes. Le geste peut être aussi simple que de donner un coup de main à son voisin pour déménager un frigo ou autre gentillesse. Un peu comme ma mère et ma famille qui, durant plusieurs années, avaient à l'œil et à cœur un sans-abri qui errait dans les ruelles du marché By, à Ottawa. Donald ressemblait à mon grand-papa George. Chaque fois que maman le voyait, elle lui donnait cinq dollars et versait une larme en croyant que personne ne s'en rendait compte. Son action était motivée par le souvenir de son papa chéri. Faut croire qu'elle m'a bien élevé, parce qu'un de mes amis me dit souvent que je suis un *mensch* – un homme droit au caractère noble –, ce qui, pour moi, est le plus beau des compliments. D'ailleurs, c'est en cherchant la définition de ce mot que je suis tombé sur Maïmonide. Grâce à lui, j'ai découvert la Torah et les huit degrés de charité. Les voici, par ordre décroissant :

8. *Le don à contrecœur.* On donne par conformisme social. C'est mieux que ne pas donner du tout, vous me direz, mais c'est la forme de don la plus primaire.

7. *Le don sur les freins.* On donne moins que l'on peut se le permettre et moins qu'il convient, mais de bon cœur et avec le sourire. Ça représente malgré tout une expression d'empathie et de solidarité.

6. *Le don passif.* On donne généreusement lorsque quelqu'un le demande. On préfère toujours que les

gens aient un comportement proactif, mais donner après avoir été sollicité est tout de même considéré comme un acte gracieux.

5. *Le don actif.* On donne à son prochain avant qu'il n'ouvre la bouche, on le devance. Dans cette catégorie, on retrouve les individus qui réussissent à anticiper les besoins d'autrui et qui n'attendent pas une crise pour agir.

4. *Le don sans visage.* On donne sans connaître l'identité du bénéficiaire. Cela enlève le sentiment de supériorité du donateur des scénarios 8 à 5. Je trouve ce geste très beau : une personne reçoit quelque chose nécessaire à son mieux-être et en connaît la provenance, tandis que le donateur respecte l'anonymat du bénéficiaire.

3. *Le don avec un nom.* On donne à quelqu'un dont on connaît l'identité, mais qui ignore la nôtre. De cette façon, la fierté de celui qui reçoit est protégée.

2. *Le don anonyme.* On donne sans connaître l'identité du bénéficiaire et sans qu'il connaisse la nôtre. Une des plus belles façons de donner, selon ce que j'ai lu, parce que le geste protège l'ego de celui qui reçoit tout en nourrissant la joie du donateur.

1. *Le don de liberté.* On donne à l'autre une occasion de devenir autonome, par un prêt ou un travail. De cette façon, on lui permet de se prendre en main et de pouvoir un jour donner à son tour.

On poursuit en expliquant comment la *tsédaka* ressemble à un boomerang – ce qu'on donne nous revient. Lynda appelle cela le karma. C'est toujours l'amour de son prochain. Comme celui que j'ai senti quand j'ai commencé à écrire ce livre en visitant ma belle-famille, en banlieue de Dublin. J'étais plongé dans l'incertitude des premières pages et je me laissais souvent distraire par les photos de Brendan qui couvraient les murs de la maison, un cousin qui s'est enlevé la vie. Ses yeux bleus m'observaient. Son père et sa mère vivent toujours leur deuil, mais malgré tout ils offrent à leurs proches un visage souriant. Ils ressentent encore un amour infini pour leur fils et cet amour transcende leur peine. Ils font leur part pour être heureux malgré tout.

Ce n'est pas un hasard si mon ami Kerry prend la parole à la fin de ce livre parce qu'il a raison : le changement viendra de chacun de nous. On ne peut plus s'attendre à ce que l'État prenne tout en main et que les solutions ne nous impliquent pas. On doit agir, contribuer à la hauteur de nos forces et de nos moyens. L'engagement représente notre espoir pour le futur, notre avenir collectif.

Et, même si certains croient que la charité chrétienne est dépassée, qu'il vaudrait mieux instaurer un système basé sur la philanthropie institutionnelle, je vais poursuivre ma tradition et verser ma quote-part aux fondations auxquelles je crois. Pour une *puff* de bon feeling. Parce que, après une année à côtoyer les multiples visages que prend le don, je fais le constat suivant: donner de l'argent, c'est parfait, mais c'est un geste quasiment égoïste. Il n'y a rien de mal à se faire du bien, mais le don véritable, celui qui importe, ne se chiffre pas. Dans mon cas, c'est cultiver la patience, répandre la joie dans ma famille et chez mes amis et, surtout, ouvrir mon cœur. En effet, c'est connu et prouvé, les gens généreux sont plus heureux. C'est là-dessus que je veux concentrer mon énergie.

Chaque matin, en se levant, on donne. À sa mesure, à sa manière. Par chacun de ses gestes. Sœur Louise a bien raison: il n'y a pas de mystère. Il n'y a que l'amour. Encore lui. On n'en sort pas, et c'est tant mieux.

Je vous dis merci d'avoir lu ce livre. Je souhaite qu'il ait atteint son but: semer l'envie de donner.

Remerciements

Merci à tous ceux et celles qui m'ont confié leurs histoires avec franchise et ouverture d'esprit. Merci à Caroline Jamet qui a semé chez moi cette idée. Merci à Vanessa Gauvin-Brodeur pour son travail de bras droit, à Marie-Hélène Trottier de Jump&Love pour son merveilleux design de couverture. Merci également à Faye Mamarbachi et Marine Godfroy de m0851, aux Impatients et à Frédéric Palardy. Merci à Suzanne Kingsley et à Roger Frappier. Merci à Louise Loiselle, mon éditrice. Sans Louise, ce livre n'aurait jamais vu le jour. Merci, finalement, à Lynda et au grand Léo, même s'ils méritent beaucoup plus qu'un simple merci...

Table des matières